Word Search Book for Adults
101 Large-Print Puzzles

Charles Timmerman
Founder of Funster.com

This book includes free bonus puzzles
that are available here:

funster.com/bonus6

A Funster Series Book.
Funster™ and Funster.com™ are trademarks
of Charles Timmerman.

ISBN-10: 0-9970929-4-7
ISBN-13: 978-0-9970929-4-3

Introduction

How to Solve

These puzzles are in the classic word search format. Words are hidden in the grids in straight, unbroken lines: forward, backward, up, down, or diagonal. Words can overlap and cross each other. When you find a word, circle it in the grid and mark it off the list.

Cut It Out!

This book has wider inner margins. This means that you can easily cut or rip out the pages. Some people find this makes it more convenient to solve the puzzles.

A Special Request

Your brief Amazon review could really help us. This link will take you to the Amazon.com review page for this book:

funster.com/review6

Gardens

```
B C H F E R O L P X E S B F
A I D O R E V Y R P V P U L
M T E U A L A N O S A E S O
B O L N R A N O T E R C H W
O X I T N X N E I V I I T E
O E C A C I U P S A E E A R
S A A I O N A E I E T S P B
E G T N L G L L V L Y U O L
N R E V O C S I D I P T L O
I E L A R O L F Z O T C L O
V E I T S E R O F D Q A E M
L N B R E H R U O T S C N C
```

ANNUAL	EXPLORE	PEONY
BAMBOO	FLORAL	POLLEN
BIENNIAL	FLOWER	RARE
BLOOM	FOREST	RELAXING
BUSH	FOUNTAIN	SEASONAL
CACTUS	GREEN	SPECIES
COLORS	HERB	TOUR
DELICATE	LEAVES	VARIETY
DISCOVER	NATIVE	VINES
EXOTIC	PATHS	VISITOR

Solution on page 106

Golfing

```
W  T  Z  Z  M  M  S  E  E  T  F  A  D  E
P  E  J  W  Y  D  D  A  C  P  I  R  G  G
A  T  N  R  H  U  O  E  A  H  Y  Q  A  D
C  J  O  E  C  I  L  S  I  E  A  G  L  E
I  L  R  K  U  G  F  C  R  D  W  R  F  W
D  R  I  V  E  R  S  F  G  O  R  A  G  V
N  A  G  I  L  L  U  M  E  R  I  I  R  E
A  D  K  S  D  P  W  S  W  K  A  N  B  D
H  E  N  B  I  B  R  Z  O  G  F  S  E  E
U  O  U  U  V  U  L  O  P  P  F  N  S  S
C  T  D  L  O  E  H  B  O  G  E  Y  V  F
X  N  F  C  T  R  R  F  Z  P  I  N  T  V
```

ACE	DUNK	MULLIGAN
BIRDIE	EAGLE	PGA
BOGEY	FADE	PIN
CADDY	FAIRWAY	ROUND
CHARGE	FLAG	SENIORS
CLUBS	GRASS	SLICE
COURSE	GRIP	TEE
DIVOT	HANDICAP	US OPEN
DRAW	HOOK	WEDGE
DRIVERS	IRON	WHIFF

Solution on page 106

5

Fabrics

```
K R O L O C I R B A F J C Y
L U T R O P M I N E D K S S
I F F T K N I T T I N G P P
S S T E M J N M N O N Q A X
V O O X G A I I T I Y T N R
N F H T T N T T R H T X D S
M T U U E A I E N E R O E S
N N R R S N V N R E B E X E
O A A E G O E N N I M I A R
L L M A C H I N E I A R F D
Y P C S T N O R I N P L A X
N M I L L S R X A L F S K G
```

COLOR
COTTON
COVERING
DENIM
DRESS
FABRIC
FIBER
FLAX
FUR
GARMENT

IMPORT
IRON
KNITTING
KNOTTING
LINEN
MACHINE
MATERIAL
MILL
MINERAL
NATURAL

NYLON
PATTERN
PLANT
SATIN
SILK
SOFT
SPANDEX
SPINNING
TEXTURE
THREAD

Solution on page 106

All Verbs

```
B P S F L E S I C R E X E E
T E N J O Y Z O T I U Q S G
B E Q U E S T I O N T I H T
A L W G X R C X R R M N K N
P S O G Y K O E D O L P X E
U O R L L O E N R K M Q U V
W C H E E R N P S E A E K N
I N T C H S I N A V M B M I
S J G C Z T K U A C C M T Q
H C T A W C A R R Y S R A J
D I E C A R E B T A K E F H
P N I P S E X Y Z R Q C F O
```

ANNOY	HIT	RUN
BATHE	INVENT	SLEEP
CARRY	JUGGLE	SNORE
CHEER	MEMORIZE	SPIN
CHOP	PACK	TAKE
ENJOY	PITCH	THROW
ESCAPE	PROMISE	TICKLE
EXERCISE	QUESTION	VANISH
EXPLODE	QUIT	WATCH
HAMMER	RACE	WISH

Solution on page 106

Household Objects

```
R P A P E R J T B R U S H T
A R Y F G Y A L P S I D X T
D O H R E Q A S E T A L P U
I D P A X N E N I C I D E M
O U O M K P I C T U R E S B
N C R E O Z S R E W O L F L
M T T T A P N L U N V A S E
C S S G M G N B E G O P O R
N L A N R U O J E V I H U S
Q M O O D O B M O C O F P D
X T M C K F D L E P A N S I
M U G S K H M S A T O Y S L
```

ALBUM	JOURNAL	PLATES
BLANKETS	LIDS	POTS
BOOKS	MAGAZINE	PRODUCTS
BRUSH	MEDICINE	RADIO
CLOCK	MUGS	SOUPS
COMB	NOVELS	SPICES
DISPLAY	PANS	TOYS
FIGURINE	PAPER	TROPHY
FLOWERS	PHONE	TUMBLERS
FRAME	PICTURES	VASE

8   Solution on page 106

Internet Browsing

```
Z G P T E E W T B K C I L C
H A P K V I D E O F H Y I G
Q M M S C I H P A R G T A O
R E T U P M O C R Q N P M L
A R T I C L E D D E I O E B
K E X K W B U Y M C K H G A
M H E R O S P M T X N S O N
U T T O L H O U A M A Z O N
S A K W O C R C U Q B S G E
I E B T R E T T I W T M L R
C W O E T I S U T A T S E D
H S M N L L E S U P L O A D
```

AMAZON
ARTICLE
BANKING
BANNER
BLOG
BOARD
BUY
CLICK
COMMENT
COMPUTER

EMAIL
FACEBOOK
GAME
GOOGLE
GRAPHICS
MUSIC
NETWORK
PHOTOS
PICTURE
SELL

SHOP
SITE
SOCIAL
STATUS
TEXT
TWEET
TWITTER
UPLOAD
VIDEO
WEATHER

Solution on page 106

9

Around Asia

```
I S R A E L Y Z S Y R I A A
E U P T H A I L A N D V B R
N K S E V I D L A M O T A M
U R O O P S J O R D A N H E
R A M N A Y M O L I S A R N
B I A A K A Y O D A I I A I
S N N P I L M O N G O L I A
U E T A S A B I R A Q S N N
R P E J T M N O N A B E L I
P A I P A U E N A W I A T H
Y L V C N G H K U W A I T C
C Y E M E N R B Q A T A R X
```

ARMENIA	JAPAN	NEPAL
BAHRAIN	JORDAN	OMAN
BHUTAN	KUWAIT	PAKISTAN
BRUNEI	LAOS	QATAR
CAMBODIA	LEBANON	SYRIA
CHINA	MALAYSIA	TAIWAN
CYPRUS	MALDIVES	THAILAND
GEORGIA	MOLDOVA	UKRAINE
IRAQ	MONGOLIA	VIETNAM
ISRAEL	MYANMAR	YEMEN

Solution on page 107

Popular Music

```
T D A X E S A H C R U P Y B
E A S A C L Y R I C S O B U
E N L E D O H Y R T N U O C
N C S B G O N E T S I L U B
D E D A U A W C C G R A N U
Y U R N I M S N E A N Y C B
K V O D T S H S L R N U E B
R I W L A B U U E O T R O L
E D C C R D P R M M A A D Y
P E P P Y O G R O U P D H S
I O O M P C A T C H Y I H A
Q S T R A H C S L A C O V E
```

ALBUM	DOWNLOAD	PEPPY
BAND	EASY	PERKY
BOUNCE	ELECTRIC	POPULAR
BUBBLY	GROUP	PURCHASE
CATCHY	GUITAR	RADIO
CHARTS	HARMONY	TEEN
CHORUS	LISTEN	VIDEOS
CONCERT	LOUD	VOCALS
COUNTRY	LYRICS	WORDS
DANCE	MESSAGES	YOUNG

Solution on page 107

Brand Names

```
X E L O R I T E A I D K O S
N O X I L F T E N P P T S O
E B E E T A G L O C P T P N
E D F U T O Y O T A A L S Y
R U I S P I L I H P M E E Q
G W L I V S V D L M A T A J
L L T C C I O E R G Z N R K
A H E F A C S E N A O I S O
W X M C S E U I V R N K V D
D A O I W T E G R A T E T A
P M C O N O K I A T R A M K
J F L B B X O R E X C R Q T
```

ALLSTATE	KODAK	ROLEX
AMAZON	LOWES	SEARS
APPLE	MENARD	SONY
BOEING	METLIFE	STAPLES
CISCO	MTV	TARGET
COLGATE	NESCAFE	TOYOTA
GUCCI	NETFLIX	UPS
IKEA	NOKIA	VIACOM
INTEL	PHILIPS	WALGREEN
KMART	RITE AID	XEROX

Solution on page 107

Waves

```
F Y L K B N T I D E R D U M
T Q O E N E R G Y D N I W D
U F O Q P E R I O D P E A K
Q C P U G E Y B D O O G T C
C G I A E S C I S Y H P E O
U A N T R L E N G T H O R H
N H I I S T B M U I D A T S
S N A O D U I U H C R A S H
G S A N D N O C N O I T O M
U U R I D E A C L L L A K E
Q R P C R E S T A E V O Q A
B F K Q B W W D S V V B N U
```

ACOUSTIC	HAND	SAND
AIR	LAKE	SEA
BEACH	LENGTH	SHOCK
BOAT	MOTION	STADIUM
CRASH	PARTICLE	STANDING
CREST	PEAK	SURF
ENERGY	PERIOD	TIDE
EQUATION	PHYSICS	VELOCITY
GOODBYE	POOL	WATER
GREETING	RIDE	WIND

Solution on page 107

Complicated Computers

```
Y A B W I R E L E S S U E E
T T E R M I N A L O P J S N
I R R T D P O T P A L L O T
L O A Y A B Y T E E A I F R
I P W P O M I R K H T N T O
T B D O L O O E S C F T W P
U S R C N W Y T N A O E A P
L U A S W B M U U C R R R U
E E H W O E F P R A M N E S
X A F A D Q B M D E L E T E
I Y R O T I N O M V O T N J
P D M F S E H C T I W S E C
```

AUTOMATE	FUNCTION	RAM
BAY	HARDWARE	SOFTWARE
BYTE	INTERNET	SUPPORT
CACHE	KEYBOARD	SWITCHES
COMPUTER	LAPTOP	TERMINAL
COPY	MODEM	USB PORT
DELETE	MONITOR	UTILITY
DOWNLOAD	OPTIONS	WEB
ENTER	PIXEL	WIRELESS
FAX	PLATFORM	WWW

Solution on page 107

Factories

```
T N A L P G P D Y T K K E A
S S E T A E R C I N P Q C L
I S Y S T E M E A R Y I P A
G S O L V E N T E T D R L Z
N E Z A A G A S E N O L O P
L M T C C T S F U D I F R I
H U H I E U A O U O S G T P
E F X M R S P C Y G R E N E
A O Y E F M T W A T E R O E
T L W H O R E K R O W N C M
H O H C R A E S E R O T P N
P C W O L F K G B A T C H Q
```

ACID	FUMES	SAFETY
BATCH	GAS	SIGN
CATALYST	HEAT	SOLVENT
CHEMICAL	OIL	SYSTEM
COMPOUND	PIPE	TANK
CONTROL	PLANT	TOWERS
CREATE	POWER	TOXIC
ENERGY	PRESSURE	VAT
ENGINEER	PRODUCT	WATER
FLOW	RESEARCH	WORKER

Solution on page 107

H at End

```
W U N I N T H T R U O F H Q
I E H H B T T C A F E T C H
T L S T A G N R A N C H N G
C E I E S R E Y I M Q V U U
H V N E G A V H T U O S L O
U E R T U P E F C G M T E H
B N A S H H S E R F S P S T
Y T V H C R E P H E G I H E
I H A R S H K C F I N I S H
P O O N O R T H H A T C H N
H T D I W I A M D A W Z H H
F U N Z P F F M Y O U T H T
```

BENEATH	HATCH	STOMACH
DANISH	LUNCH	TEETH
ELEVENTH	MARSH	TENTH
FETCH	NINTH	THOUGH
FINISH	NORTH	TORCH
FOURTH	PERCH	TRIUMPH
FRENCH	PITCH	VARNISH
FRESH	RANCH	WIDTH
GRAPH	SEVENTH	WITCH
HARSH	SOUTH	YOUTH

Solution on page 108

Neatly Organized

```
T I D Y L P L A N E A T R O
J S D O H T E M A N A G E F
D E K C A T S O N A E L C F
S A S O E N I T U O R C O I
D O T Q O Y F I S S A L C C
N S O R T B V V A P D U L E
A R R A N G E A N E N T O T
R C A B I N E T R E E T S I
R A G E N D A E O K L E E M
E O E S R E P A P N A R T E
K C A P E L U D E H C S T R
T O S S H S A R T K N U J G
```

AGENDA	JUNK	PLAN
ARRANGE	KEEP	ROUTINE
CABINET	MANAGE	SCHEDULE
CALENDAR	METHODS	SORT
CLASSIFY	MOTIVATE	STACKED
CLEAN	NEAT	STORAGE
CLOSET	NOTEBOOK	TIDY
CLUTTER	OFFICE	TIMER
ERRANDS	PACK	TOSS
FOLDER	PAPERS	TRASH

Solution on page 108

Getting Married

```
H U R S T F I G A R T E R T
C R J V B Y R I N G S D E S
R E T S E I R P N F T R H A
U N R F S V E I L A E E T O
H N C E T X C P R T U S O T
C I O H M N I M S H Q S M S
W D U O A O R I E E U E L H
I O P D N P N V L R O S J O
F O L E A I E Y D Q B L A W
E F E X M N V L N S W O V E
I B J U T U O L A M R O F R
D X K T V V L H C E E P S G
```

BEST MAN	EVENT	PRIEST
BOUQUET	FATHER	RICE
CANDLES	FOOD	RINGS
CEREMONY	FORMAL	SHOWER
CHAPEL	GARTER	SPEECH
CHURCH	GIFTS	TOAST
COUPLE	LAW	TUXEDO
DANCING	LOVE	VEIL
DINNER	MINISTER	VOWS
DRESSES	MOTHER	WIFE

Solution on page 108

Making Movies

```
G N I T T E S R O R R O H L
T N S T U N T S S E R T C A
I L I P Z O E T R O P E S C
C E D B O Y E S E Q U E L I
K A H N B R R R R G M F V S
E D A M U U P E E U E A I U
T S M T A U D I T I O N E M
U R A T I N G S A S M S W F
C E R R O L O C C J Y E E L
F Y D A T C O M E D Y M R O
B M O B L X B T P I R C S P
L P H M A K E U P E M E H T
```

ACTRESS	EXTRAS	PROPS
AUDITION	FANS	RATINGS
BOMB	FEATURE	SCRIPT
CATERERS	FLOP	SEQUEL
COLOR	HORROR	SETTING
COMEDY	LEADS	STUNTS
COSTUMES	MAKEUP	THEME
CUT	MUSICAL	TICKET
DRAMA	MYSTERY	VIEWERS
DUBBING	PREMIERE	ZOETROPE

Solution on page 108

Football

```
C A C O A C H T X B K T T O
D P H Y E L L B O O S T E R
D P A T E R O C S B R O O T
P L N E S E P I G S K I N I
V A T F R K O U R E T N E C
J Y S A V O G F Q R G W U K
S E B S I O C S F V B O G E
S R R F O L L O W E R D A T
G D A S A N G G T R N U E L
C G R E E O W A T C H S L O
H F L A G Y S A T N A F E U
K Q Y D Y T L A N E P K S D
```

BAR	GEAR	PIGSKIN
BET	GOAL	PLAYER
BOOSTER	JERSEY	ROOT
CENTER	LEAGUE	SAFETY
CHANT	LOUD	SCORE
COACH	OBSERVER	TAILGATE
DOWN	OFFENSE	TICKET
FANTASY	ONLOOKER	WATCH
FLAG	PASS	YARDS
FOLLOWER	PENALTY	YELL

Solution on page 108

Medicines

```
B A L M A E R C U P K Y Q P
H V R E L U D E H C S D X I
R I E L L E T O D I T N A L
O T F U E H N I W T Y U I L
T A I S R C E N M E L O L E
C M L P G A M T I R E P M L
O I L A Y D I M N U N M E I
D N N C G A N E E I O O N X
O O E O U E I N R D L C T I
O O S L R H L T A F E V E R
F P S D D H E A L T H Y X I
G S E N I C C A V S Y R U P
```

AILMENT	DIURETIC	MINERAL
ALLERGY	DOCTOR	OINTMENT
ANTIDOTE	DRUG	PILL
BALM	ELIXIR	REFILL
CAPSULE	FEVER	SCHEDULE
CHRONIC	FOOD	SPOON
COLD	HEADACHE	SYRUP
COMPOUND	HEALTHY	TYLENOL
CREAM	ILLNESS	VACCINE
CUP	LINIMENT	VITAMIN

Solution on page 108

Landscaping

```
U A M W A L K W A Y P L Q D
T O P I A R Y T E I R A V V
W D W W Z S C E N I C W T C
L E C H E C N A L A B N U H
N E D R A G N I T T E S R I
K W V P L E A S A N T G F B
Q E O O R S B U S H E S D F
E N E H H E D N W E C X T E
D S Y R K S T E Y C V I N K
X C U A C E R T B K H O A A
K B R O R U I R Y A U O L L
S P F H H D M Z E Z V H P G
```

BALANCE	LAKE	SETTING
BEDS	LAWN	SHOVEL
BUSHES	MOW	SHRUBS
CHAINSAW	PATH	TOPIARY
CHOP	PLANT	TRIM
CREEK	PLEASANT	TURF
EDGE	POND	VARIETY
GARDEN	PRETTY	WALKWAY
GLOVES	RAKE	WEED
HOUSE	SCENIC	YARD

Solution on page 109

Getting Mad

```
S S S E L F I S H B T B E D
T O I D I A E T S A N I H A
E V A E L I X C B E E T T M
T E E M D L A H F D L T E O
A N T A E U O U I Q O E E D
H T A E S R M S U K I R S E
S S T T P E G A C R V J W U
A I I S I U R A N T I N G G
R C R H S R T D E M E A N R
I T R T E T A R E B K H D A
N R I L A N N O Y F I G H T
Y E L L O U D I B A R F I L
```

ABHOR	FAILURE	RABID
ANNOY	FIGHT	RANTING
ARGUE	FUME	RASH
ATTACK	HATE	SEETHE
BERATE	IDIOT	SELFISH
BITTER	IRRITATE	STEAMED
CAUSTIC	LEAVE	USELESS
DEMEAN	LOUD	VENT
DESPISE	MAD	VIOLENT
DISGUST	QUARREL	YELL

Solution on page 109

Awesome Things

```
K D C U S V C I F I R R E T
L B I T N O I T A C A V S O
I M A A C A R S B J W M R J
S O A B M T U S U S E S O R
B M R R I O N G L T S Y L E
P X F Y R E N E O E O L I R
S E U D T I S D U P M I F U
N X N T N S A H S G E M E T
O O I R T Z E G N I Z A M A
W K A F D S D N E I R F C N
S E I B B O H R O M A N C E
L G S K D B I R T H T I A F
```

AMAZING	FRIENDS	NATURE
AWESOME	FUN	PEACE
BABIES	GIFTS	PETS
BIRTH	HOBBIES	ROMANCE
BOATS	HONESTY	ROSES
CARS	JOY	SILK
DIAMONDS	KITTENS	SNOW
FABULOUS	LEARNING	TERRIFIC
FAITH	LIFE	VACATION
FAMILY	MARRIAGE	WONDROUS

Solution on page 109

Financial

```
P V A L U E B G B E D G N T
L H Y X O R P F U L U N Y A
U S O I O H U S O H X I S X
M A R K E T S S E E I K E E
M C E O U I R D M X N N M S
E R S R S E G A R E V A U L
T E E J V I C C Y R E B L L
I S A O N R V E A C S Q O A
C O R G A I N D P I T F V C
K L C S C O L U A S O B L S
E C H Q M A T U R E R B E G
R O P T I O N S E T O U Q D
```

ADVISORS	EXERCISE	OVERSOLD
AMEX	FUTURES	PLUMMET
AVERAGES	HEDGING	PROXY
BANKING	INVESTOR	PUT
BROKER	ISSUE	QUOTES
CALL	MARKETS	RESEARCH
CASH	MATURE	TAXES
CLOSE	MONEY	TICKER
CRASH	NYSE	VALUE
DEBT	OPTIONS	VOLUME

Solution on page 109

Barbecues

```
T A E M I M F F J I C E N C
A D P H E D R A T S U M U O
B O H R F A M I L Y P L B R
L S K T O P P I N G S L E N
E W E O M P S K N R A I E T
K R T H U N A I E O U R R V
O E C S E T R N C B S G E C
M M H T K P S R E H A G L H
S M U K S N A I Q G G B I I
A U P U V H I D D I E Z S P
H S N A C K S R E E S M H S
Q N A P K I N S D N E I R F
```

BEER	ICE	SAUSAGES
BUN	KEBAB	SMOKE
CHARCOAL	KETCHUP	SNACKS
CHIPS	MEAT	SODA
CORN	MUSTARD	SPRING
CUPS	NAPKINS	SUMMER
DRINKS	NEIGHBOR	TABLE
FAMILY	OUTSIDE	TOPPINGS
FRIENDS	PROPANE	UTENSILS
GRILL	RELISH	VEGGIES

Solution on page 109

Sri Lanka

```
K A F F I R S T U N O C O C
K P A N A V A R U B B E R I
S C U L T U R E L I G I O N
Y R Z Y B B T K O T T E B N
A U M S I U D N I H E K M A
L P M S S D R K E F R I O M
A E S R E D H G F I I M L O
M E I O A H T O H X C A O N
M T R O P I C A L E E N C S
K B U M I S L A N D R U A O
I C O U N T R Y E A Q S P O
N A T I O N E N A B R T L N
```

ANCIENT	HINDUISM	RANA
BEACHES	HOT	RAVANA
BUDDHIST	ISLAND	RELIGION
BURGHERS	KAFFIRS	RICE
CINNAMON	KOTTE	RUBBER
COCONUTS	MALAYS	RUPEE
COFFEE	MONSOON	SEA
COLOMBO	MOORS	TOURISM
COUNTRY	NATION	TROPICAL
CULTURE	PORT	TSUNAMI

Solution on page 109

Playing Games

```
Y A D Y A P M A E T K S N C
A L U D O U T S I D E Y O I
H M O R R A C Z L L R M O A
T T K B J D H E U R P Y T R
Z Y C A S Q I R O U L D N U
E C H C D F L S T M U R O M
E O A C N A D E E M N A P A
N O N A O M R D N I K U S S
I N C R M I E A N K S G E L
L I E A A L N P I U I H N A
N G X T I Y L S S B R T E O
O R A F D O M I N O E S T G
```

BACCARAT
CANFIELD
CARROM
CHANCE
CHILDREN
COMPUTER
DIAMONDS
DOMINOES
DRAUGHTS
FAMILY

FARO
GIN
GOALS
KERPLUNK
LUDO
ONLINE
OUTSIDE
PAY DAY
PONTOON
RISK

RULES
RUMMIKUB
SAMURAI
SENET
SORRY
SPADES
TEAM
TENNIS
TYCOON
YAHTZEE

Solution on page 110

Y at End

```
J Z D L I V U A K G Y F Y P
O Y R A V T M M Y A P O Q Y
L R L Y D L F A C T O R Y M
L I D D L D M J G V C T L E
Y O U E I E Y O B N E Y G N
T L S S R P T R N K I E U E
H U M T U L U I A T W F A F
G X X R A A Y T L N H S Y O
I U R O I T L Y S O I L G G
M R D Y F F E L X L P D Y G
D Y T K I N D L Y B E R R Y
Y M R A G E N C Y P M U B O
```

AGENCY	FACTORY	MONTHLY
ARMY	FIRMLY	ORDERLY
BERRY	FOGGY	ORDINARY
BOY	FORTY	PAY
BUMPY	JOLLY	POLITELY
COPY	KINDLY	STATELY
DADDY	LUXURY	STUPIDLY
DESTROY	MAGNIFY	UGLY
EASILY	MAJORITY	USUALLY
ENEMY	MIGHTY	VARY

Solution on page 110

Brains

```
K E C N A L A B B C F L A H
N U M B O D Y X E L P M O C
I S E C T I O N S X E R I T
H L D O R Z T R N D M M D I
T A U N L E M C I O A T E S
O N L T R E S C N G I A A S
R G L R M M A E I U H S S U
G I A O E L S N A I F T I E
A S R L N V G N I R A E H V
N Y L I T S C I E N C E R A
W P P O A S T H G U O H T W
S K U L L S E K O R T S X K
```

BALANCE	IMAGING	SIGNALS
BODY	MEDICAL	SKULL
CENTER	MEDULLA	SMELL
COMPLEX	MEMORY	STROKE
CONTROL	MENTAL	TASTE
FUNCTION	ORGAN	THINK
HALF	RESEARCH	THOUGHTS
HEARING	RIGHT	TISSUE
HORMONES	SCIENCE	VISION
IDEAS	SECTIONS	WAVE

Solution on page 110

In the Woods

```
K G M E D A H S T I B B A R
C U O E Z E E R B O C Z T O
A P S B C H I P M U N K C S
P E S A C N C B S T S Y D E
K X W N U A W I L D L I F E
C E A E P T B R A O W H P R
A R L V M U U D M O O U L T
B C K O A R G M I R U M A D
P I I R D E S U N S H I N E
A S N G N I P M A C B D T E
T E G T W I G S M E L L S R
H R A I N W Z H B G Z U L V
```

ANIMALS	DEER	PLANTS
AUTUMN	EXERCISE	RABBITS
BACKPACK	GROVE	RAIN
BIRD	HUMID	SHADE
BRANCHES	MOIST	SMELLS
BREEZE	MOSS	SUNSHINE
BUGS	NATURE	TREES
CAMPING	OUTDOORS	TWIGS
CHIPMUNK	OWLS	WALKING
DAMP	PATH	WILDLIFE

Solution on page 110

Puppies

```
B L E L B A V O L T L L O R
G R Y L E L T S E R W G D I
N S E I B A B A T J H R H N
I L G E P A C C U R I O U S
V E G N D H R B C Z Y W N Y
O E G N I L O O R D R L G F
L P U N I W Y L D N E I R F
I Y G O B N O S S A N N Y U
C K U S Q U I R M Y R G S L
K W J Y P P A H G U O B S F
S I L L Y M R A W P L T E C
Y O U N G J R A L L O C M N
```

ADORABLE	GROWING	SILLY
BABIES	GROWLING	SLEEPY
BREED	HAPPY	SQUIRMY
CLUMSY	HUNGRY	TEACHING
COLLAR	LICKS	TOYS
CURIOUS	LOVABLE	WARM
CUTE	LOVING	WHINING
DROOLING	MESSY	WRESTLE
FLUFFY	ORNERY	YIP
FRIENDLY	ROLL	YOUNG

Solution on page 110

Computer Problems

```
P N X E R U L I A F L A W R
A G C E C R U O S T N D E E
T I S O F T W A R E M S D B
C S L Y M R W A T T T T E O
H E P A O P C R S A N I F O
M D Z N N K U E R M V O E T
E E G E I G C T I L C L C R
T L L N E U U S E R E P T O
S E G B R R T A A R U X Y P
Y T G I O A F S G T S E P E
S E T U K R H I T E S T O R
O Y J E B O P D X V I R U S
```

BUG	FIX	RESTART
COMPUTER	FLAW	SECURITY
CONTROL	FREEZE	SOFTWARE
CRASH	ISSUE	SOURCE
DEFECT	LANGUAGE	SYSTEM
DELETE	MISTAKE	TEST
DESIGN	PATCH	TRACKING
DISASTER	PROBLEM	TYPO
EXPLOIT	REBOOT	VIRUS
FAILURE	REPORT	WRONG

Solution on page 110

Best Times

```
M P L A Y I N G N I T A K S
E M C A R I N G L E V A R T
A F D A U G H T E R A V L O
L E O X J G N O K Y C D R R
S X M O D O H I M L A E I I
H O L I D A Y T P E T S T E
A R E H T O R B E P I U U S
R E B O N D I N G R O O A T
I T D I N N E R N U N H L F
N S T E P S I B L I N G S A
G I V I N G N U F A T H E R
X S N A C K S P I R T F S C
```

BEDTIME	GIVING	SHARING
BONDING	HOLIDAY	SHOPPING
BROTHER	HOME	SIBLINGS
CARING	HOUSE	SISTER
CRAFTS	JOY	SKATING
DAUGHTER	LAUGHTER	SNACKS
DINNER	MEALS	STORIES
FATHER	PETS	TRAVEL
FOOD	PLAYING	TRIPS
FUN	RITUALS	VACATION

Solution on page 111

Disney Stories

```
D A T I G G E R B Y G T B D
E B P J B S R E E E O H B L
P M O O B M U D L U P U O Z
U I N S M A A G L D H M E S
M S G O H I E B E W E P L W
B N O L U S E L U C R E H A
A E I H E A Y N U D E R W L
A E K D Y T O Z I P G X R T
R Z U O D N R A Y M U L A N
I Y S P O A E Z I X S R A C
E Q I E O F L U F H S A B H
L X X Y W Y K A N G A C J V
```

ALADDIN	FANTASIA	PUMBAA
ARIEL	GOPHER	SIMBA
BAMBI	GUS	SLEEPY
BASHFUL	HERCULES	SNEEZY
BELLE	HUEY	THUMPER
CARS	JASMINE	TIGGER
DOPEY	KANGA	TWEEDLEE
DUEY	MULAN	WALT
DUMBO	PIGLET	WOODY
EEYORE	PONGO	ZAZU

Solution on page 111

On the Water

```
S  V  L  C  J  U  N  K  P  I  N  I  J  Y
E  Y  R  A  Q  S  C  H  O  O  N  E  R  R
V  E  S  S  E  L  E  T  U  O  R  O  I  R
W  L  T  C  R  U  I  S  E  R  W  T  K  E
C  L  K  E  B  U  T  A  O  B  I  K  S  F
C  A  P  T  A  I  N  F  O  B  E  R  T  H
V  G  R  K  P  L  E  A  S  U  R  E  E  N
O  O  C  E  A  N  T  F  B  B  R  I  J  I
Y  H  G  N  I  D  O  N  B  O  A  R  D  B
A  H  T  R  A  V  E  L  F  W  U  R  I  A
G  M  I  W  S  K  I  P  P  E  R  T  G  C
E  O  T  A  N  K  E  R  C  C  A  N  O  E
```

BARGE	GALLEY	RUNABOUT
BERTH	JET SKI	SCHOONER
CABIN	JUNK	SKI BOAT
CANOE	OCEAN	SKIPPER
CAPTAIN	ONBOARD	SWIM
CREW	PLEASURE	TANKER
CRUISER	PORTS	TRAVEL
DINGHY	RIVIERA	TUBE
FERRY	ROUTE	VESSEL
FORE	ROW BOAT	VOYAGE

The Beverly Hillbillies

```
S M O N E Y V S H R V K G L
T R U C K I K P H B I N I R
D E N U T R O F C T I C A A
M A R T A T A O C T L E H E
D E L Z I M U H R M B A R P
L E O O I N E U I A J M E L
S F N L T N O L T N G D K W
N S Y R Z C L Q T S R N N R
U E Y Y S I A D E I E A A A
R E Y P O L A J R O E R B K
E N A N I M A L S N D G O D
R E S T A T E K U D Y T I C
```

ANIMALS
BANKER
BEAR
CITY
COUNTRY
COURTING
CRITTERS
DAISY
DANCE
DOG

DUKE
ESTATE
FAMILY
FORTUNE
GRANDMA
GREEDY
JALOPY
KANGAROO
KITCHEN
MANSION

MILLIONS
MONEY
OZARKS
PEARL
POTIONS
RERUNS
RICH
TRUCK
VITTLES
WEALTH

Solution on page 111

Starts with T

```
W E R H T I D A L N I W T L
A U B E O U H G U O T I F Q
Y R D L C T R A I N M I W E
N I C G C R T T L E V A R T
T T I N A E O R L W S E O S
R W F A B M A E S E Z M T A
I I F I O B S A O U A H F T
E C A R T L T S V T I P E E
D E R T R E S U O R T M I D
M O T F E D E R D P A A H D
W E V L E W T E P M U R T Y
C S I U J W S T L I A T X V
```

TAIL	TOAST	TREASURE
TASTE	TOBACCO	TREMBLED
TEDDY	TOMATO	TRIANGLE
TEST	TOMORROW	TRIED
THIEF	TOUGH	TROUSER
THIRD	TRACE	TRUMPET
THREW	TRAFFIC	TURTLE
TIDAL	TRAIN	TWELVE
TIDE	TRAMP	TWICE
TIME	TRAVEL	TWIN

Solution on page 111

Fire Fight

```
H E L M E T A U C A V E N D
N I A T N O C H I M N E Y E
S I R E N O O R W I R I N G
E N A P O R P S L I Z D E A
V R E K N L M O W R N K M L
O A I I A O S I N O A D R A
L N F N L A L M I R E U O R
G G E D G D R T O R E F F M
P E E L F A A P R K N F I S
M R N I A T P A C C I R N X
U J R N S E H C T A M N U I
P E I G Z C O N T R O L G B
```

AIRPLANE	EVACUATE	RAKE
ALARMS	GASOLINE	RANGER
BURN	GLOVES	SIREN
CAPTAIN	HELMET	SMOKING
CHARRED	HORN	SMOLDER
CHIMNEY	INFERNO	STATION
CONTAIN	KINDLING	UNIFORM
CONTROL	MATCHES	WILDFIRE
COOKING	PROPANE	WIND
CPR	PUMP	WIRING

Solution on page 111

Interviewing

```
G O A L S L L I K S D B E Q
O H R E E R A C A E X U R F
F I R M Y T O L G P P S I L
F S S O B M A R T R P I H E
E T C L P R E U E O N N C T
R O O A Y E M P L O Y E R T
E R N U T H A I I A O S A E
A Y T T S R T T T X V S E R
G L A C E E I I M P R E S S
E L C N N S U G N I T E E M
R A T U O S Y A N S W E R S
U C B P H T N E L A T E A M
```

ANSWERS	EVALUATE	POLITE
BOSS	FIRM	POSITION
BUSINESS	GOALS	PREPARE
CALL	HIRE	PUNCTUAL
CAREER	HISTORY	RESEARCH
COMPANY	HONESTY	SALARY
CONTACT	IMPRESS	SKILLS
DEGREE	LETTER	SUIT
EAGER	MEETING	TALENT
EMPLOYER	OFFER	TEAM

Solution on page 112

Long Runs

```
B L I S T E R S E L C S U M
P S H T A P X T L T V Z L T
J S S T N E V E S S K C O S
S A S T G A M A R A T H O N
E R U T A N F J O C C F H E
L G W S R R E U O B I E C A
I O E P H A T R D G S S S K
M O A E S S C H T R G S E E
M P T E I L O E U S N I A R
O E H D N L A O O D J C N S
O N E C I I C S C O R I N G
B O R T F H H E A T O L W E
```

BLISTERS	JOGGING	RACE
COACH	MARATHON	RAIN
COURSE	MEET	SCHOOL
EVENT	MILES	SCORING
EXERCISE	MUSCLES	SNEAKERS
FAST	NATURE	SOCKS
FINISH	OPEN	SPEED
GRASS	OUTDOORS	START
HEAT	OUTSIDE	STRENGTH
HILLS	PATHS	WEATHER

Solution on page 112

Wild Animals

```
B O V I N E F F A R I G S Q
N R X C A N I N E E S N K B
O A K H C S O I P L Q I U E
C B R I H A N O B E U H N A
L B A C E D L T A P I P K V
A I V K E E U F D H R L G E
F T D E T K A N G A R O O R
E J R N A M R H E N E D R A
R B A S H A R K R T L A I O
R G A Z E L L E L A H W L B
E S U O M V D R A P O E L Q
T P A N T H E R E T S M A H
```

AARDVARK	DOLPHIN	KANGAROO
ANTELOPE	ELEPHANT	LEOPARD
BADGER	FALCON	MOUSE
BEAVER	FERRET	PANTHER
BOAR	FISH	RABBIT
BOVINE	GAZELLE	REINDEER
CALF	GIRAFFE	SHARK
CANINE	GORILLA	SKUNK
CHEETAH	HAMSTER	SQUIRREL
CHICKEN	HEN	WHALE

Solution on page 112

Little Things

```
M H I G V Y M H S L G C M M
Q C V Y K T P P B U T T O N
A N A G G E U B R P Z A U E
B I R D B P R G P O R D S T
P U C B P B U N N Y T P E T
C Q L Y I B R I E V E O W I
S E E E Y O A R R L J L N K
F S W D B R C R I C K E T M
T N A W G G N A T M E S E E
Z L E E L A T E P D D U S T
A N N F F E S L L E C O X I
Q E S M I D G E C I D L L M
```

ANT	EGG	MOUSE
BIRD	GENE	NEEDLE
BUNNY	GNAT	NEWBORN
BUTTON	GRAIN	PEBBLE
CELL	INCH	PETAL
CRICKET	KERNEL	PROTON
DICE	KITTEN	PUPPY
DROP	LADYBUG	SEQUIN
DUST	LOUSE	SMIDGE
EARRING	MITE	TADPOLE

Solution on page 112

All Nouns

```
L F N C J M K U F V L X R A
M F A E O I E T E A C H E R
A B L A E M T A O B O M T C
L E L C N U P G R L A R A C
L Z A Y K E Q U I G W F W E
W U X I D E A D T I U R F S
H C L G K S A L L E R B M U
I L T L O Y Q S N T R E E O
S O T N A H P E L E I O Y H
T U I F U B C O K C U R T E
L D O L L A Y H D Z K I S S
E S I S T E R S K Y G O C B
```

AUNT	GAME	SISTER
BOAT	HOLIDAY	SKY
CAR	HOUSE	STORE
CLOUDS	IDEA	TEACHER
COMPUTER	KISS	TREE
DINOSAUR	LULLABY	TRUCK
DOLL	MALL	UMBRELLA
ELEPHANT	OATMEAL	UNCLE
EYE	QUEEN	WATER
FRUIT	SHOES	WHISTLE

Solution on page 112

Giving Birth

```
L N C R I B E P R O T C O D
R G I F T S P A P R C A K E
E L G G U N S R A T W R M U
W G A B Y U R E C J E D I X
O T R P A R O N I Y L S D P
H N E W D S T T F R C O W I
S A C C H E I S I E O N I N
H F H I T I S Y E V M M F K
G N I Y R C I V R I E A E B
I I L R I G V M I L K B N M
E O D I B L A N K E T S U P
W L E V O L A R U D I P E U
```

BIRTHDAY
BLANKETS
CAKE
CARDS
CHILD
CIGAR
CRIB
CRYING
DELIVERY
DOCTOR

EPIDURAL
GIFTS
GIRL
INFANT
LOVE
MEMORIES
MIDWIFE
MILK
NAME
NEW

NURSE
PACIFIER
PARENTS
PINK
SHOWER
SNUGGLE
SON
VISITORS
WEIGH
WELCOME

Solution on page 112

Dinnertime

```
Z M B R O C C O L I W I N E
F E E B A S E P I C E R K S
X A V Q Z Y S H H A G I O N
L L E B Z Z E R C N G S O O
B U R R I T O S I D N O C O
S E A E P L T X W L I T A D
O S G A L O A E D E T T S L
C R E D R L T S N S T O U E
A U U R E S O F A J I T A S
T O A R E P P U S G S X L U
X C A N P A S T A O N R O C
F D O O F A E S A U S A G E
```

BEEF	COURSE	RISOTTO
BEVERAGE	FAJITAS	ROLL
BREAD	LASAGNA	SANDWICH
BROCCOLI	MEAL	SAUSAGE
BURRITOS	NOODLES	SEAFOOD
CANDLES	PASTA	SITTING
CARROTS	PIZZA	STEW
CASUAL	POTATOES	SUPPER
COOK	RECIPES	TACOS
CORN	RELAXING	WINE

Solution on page 113

Inspirational

```
N S T O R Y B O O K B D W C
N A E C O E C K O B E G O D
S E T O U Q Y L R V A U H U
K M S U Z S W A O D R E A M
T I O S R M V T R A E L S O
R R N Q W E I P G P X P Q V
A A G D R O S E H C A O C I
V C S Y N P B P B E M E H E
E L C S T E S N U S P P U P
L E A D E R S B I B L E R F
E S I R N U S S J A E K C A
H E R O E S D N E I R F H X
```

ART
BIBLE
BOOK
BRAVERY
CHURCH
COACHES
COURAGE
DEVOTION
DREAM
EXAMPLE

FRIENDS
GOD
HEROES
KINDNESS
LEADERS
MIRACLES
MOVIE
NATURE
OCEAN
PEOPLE

PEP TALK
POEMS
PRAYER
QUOTES
RAINBOWS
SONGS
STORY
SUNRISE
SUNSETS
TRAVEL

Solution on page 113

Television Shows

```
F W E E D S B M C S K I N S
B N I K I T A O E T S O L K
R O X L N L U Z N D M R G P
P O O E F P A J V E I H R A
R T B M L R E B K G S U I R
I B R I T R E C I X S F M T
M I N A I O I D B N I F M N
E G C C V W W J O H N D O E
V L H A T E D N V E G A S R
A O B S R Y L F E R I F H S
L V A R E T X E D I R T N J
R E G N I R F M R E P A E R
```

ALCATRAZ	FRINGE	NIKITA
BENT	GIRLS	PARTNERS
BIG LOVE	GRIMM	PRIMEVAL
BONES	HANNIBAL	REAPER
BOOMTOWN	HUFF	ROB
COUPLING	JERICHO	SKINS
DEXTER	JOHN DOE	TRAVELER
DIRT	LOST	VEGAS
EASTWICK	MEDIUM	WEEDS
FIREFLY	MISSING	WILFRED

Solution on page 113

Three-Letter Words

```
I  I  M  P  X  P  M  X  C  G  A  I  M  G
L  R  S  O  U  B  D  V  U  L  O  V  J  V
G  A  T  Y  M  X  I  W  F  W  T  M  U  K
Z  Q  S  U  R  U  Y  S  N  P  R  W  Z  T
A  G  W  R  O  O  A  R  R  K  G  Z  M  H
B  A  S  G  U  T  W  P  T  E  V  F  Y  T
L  U  K  H  S  E  N  N  I  W  I  T  A  Q
L  S  B  C  Y  G  G  T  K  H  U  D  X  C
A  E  O  E  C  F  U  X  U  Y  Q  J  H  H
G  W  Y  R  T  P  O  G  A  V  P  H  G  Y
O  G  E  X  I  F  U  R  G  M  G  M  Y  X
M  H  E  D  H  O  W  D  C  P  Q  W  U  J
```

AGO	FIX	OWN
ALL	FOX	PUT
ASK	FUR	RAY
BET	GET	SHY
BOY	HER	TUG
COW	HIT	USE
DEW	HOW	VET
DIP	INN	WAY
EGG	KIT	WHY
EYE	MOM	WIT

Solution on page 113

Holiday Trip

```
J X Q U V I S I T E L A S Y
D U S P E C I A L S T A R S
B C G T K E L U D E H C S U
R B S R E P P O H S G R C B
E B L A N K E T S Y U O R P
A R E I N D E E R U M U O I
K E I N Z L Y R A M R T W L
S U G W M Z A W U T P E D L
D N H V A C A T I O N W S O
A I D I N N E R E H T A E W
O O H U R R I E D H U G S U
R N A L P G E T A W A Y L F
```

BLANKETS	GETAWAY	SANTA
BLIZZARD	HUGS	SCHEDULE
BREAK	HURRIED	SHOPPERS
BUSY	PILLOW	SLEIGH
CARRY	PLAN	SPECIAL
CLOSURES	REINDEER	STARS
COMMUTE	REUNION	TRAIN
CROWDS	ROADS	VACATION
DINNER	ROUTE	VISIT
FLY	SALE	WEATHER

Solution on page 113

Jobs

```
S S O B P A Y C H E C K D D
E Y C L O C K O F A R M E R
G A O B U S Y M M O E I N F
A D A S T S S U W E P E T F
W U C U D R T S T U E M I E
C N H N O J C I C C N P S L
R I Y O O A N C F L G L T E
E O D B R G O I F E I O O T
T N V E S E L A S R N Y R O
I R E Y W A L N V K E E E H
R R B I C A C T I V E D B M
W S U O E E R E F E R D N J
```

ACTIVE	DENTIST	OCCUPIED
BENEFITS	EMPLOYED	OUTDOORS
BONUS	ENGINEER	PAYCHECK
BOSS	FARMER	REFEREE
BUSY	HOTEL	SALES
CAREER	INDOORS	STORE
CLERK	JOB	UNION
CLOCK	LAWYER	WAGES
COACH	MEETINGS	WORK
DAYS	MUSICIAN	WRITER

Solution on page 113

Campfires

```
V J Y E R I F O O D O O W A
G O C L C T S O N G S F X B
N K A P I V E S L G U G U B
I E M O D M M M R N N R O I
S S P E E D A N C I N G O L
N W E P R T L F T T A A Y G
Y R R I C S F S N S C H W A
P S D H R C A Z V A R U C M
D O E A L O R E L O O C P E
A S T H T C T O D R I N K S
Z S C S S O A S M O K E M E
Y W K H E A T I S I V S N Z
```

ASHES	FAMILY	POTS
BURN	FIRE	ROASTING
CAMPER	FLAMES	SING
CHAIRS	FOOD	SMOKE
CIDER	FUN	SONGS
COCOA	GAMES	STARS
COOLER	JOKES	STORIES
CUPS	LOGS	TOASTING
DANCING	MATCHES	VISIT
DRINKS	PEOPLE	WOOD

Solution on page 114

Diets

```
W  W  Y  L  D  E  S  S  E  R  T  I  E  O
N  S  R  D  A  S  M  T  S  N  I  K  T  A
A  E  T  P  D  A  I  G  L  H  S  I  F  O
T  I  L  N  R  T  N  F  I  B  E  R  I  O
S  R  U  G  E  I  E  S  O  C  U  L  G  B
A  O  O  P  V  E  T  E  L  C  S  U  M  E
P  L  P  A  R  S  N  I  M  A  T  I  V  S
Q  A  R  D  G  O  T  R  K  I  E  M  D  E
W  C  A  O  E  L  G  I  L  I  L  R  A  E
H  E  A  L  T  H  K  R  U  Z  N  K  E  H
E  L  A  C  S  F  S  W  A  R  Y  W  R  C
S  L  L  I  P  X  W  P  N  M  F  O  B  G
```

APPETITE	FRUITS	OILS
ATKINS	GLUCOSE	PASTA
BREAD	GOALS	PILLS
CALORIES	GRAMS	POULTRY
CEREALS	GUT	POUNDS
CHEESE	HEALTH	PRITIKIN
CRAVINGS	LOSE	PROGRAM
DESSERT	MILK	SCALE
FIBER	MUSCLE	SHED
FISH	OBESE	VITAMINS

Solution on page 114

Medical Help

```
R P H A R M A C Y H E A L M
E O F F I C E N I T U O R L
V S C R E E N D O O L B A G
E O R D O I S C I F L T C T
F E S S O T T E D C I E C H
P N L C S C I I N P I G I G
L I L A A E T N S O K N D I
E C I N I L C O O I B I E E
H C P S T O H S R M V R N W
B A N D A G E D B K O Y T B
N V C N U R S E R A C S T C
U T N E G R U B H E R U C J
```

ABSCESS	FEVER	ROUTINE
ACCIDENT	HEAL	SCANS
BANDAGE	HELP	SCREEN
BED	HOSPITAL	SHOT
BLOOD	MEDICINE	STITCHES
BONES	MONITOR	SYRINGE
CARE	NURSE	URGENT
CLINIC	OFFICE	VACCINE
CURE	PHARMACY	VISIT
DOCTOR	PILLS	WEIGHT

Solution on page 114

Horse Race

```
E T I R O V A F M K C A T F
T T V Q C O L T R A C K A M
R U M B U G B O Y F I L L Y
R E T N A C S Y W X P D A M
M E P T O R T N I R P S E C
W S T M H A R N E S S G L N
G C C L U J E E L D A A D S
J R B E A J T E L I S L I T
B E S R O H C S T S W L R A
T G N C D A H Q I S C O B L
K A A B L B U C K T P P H L
W W F P U R S E X S D D O S
```

BARRELS	FILLY	PURSE
BRIDLE	GAIT	SHOW
BUCK	GALLOP	SPORT
BUG BOY	HALTER	SPRINT
CANTER	HARNESS	STALL
CLASSIC	HORSE	STRETCH
COLT	JUMPER	TACK
DAM	MAIDEN	TRACK
FANS	ODDS	TROT
FAVORITE	PLACE	WAGER

Solution on page 114

Spelling Contest

```
S G U K U L E L E C W N W B
U C R Z C A C H E H O M B I
F Q I A U Z I U Q I R U R K
F B W S M C T N P L D U E A
I O I I S M C M E D S C V H
X U N Y K O A H C R N A D K
D T N L J H R R I E V V A D
U U E P C Q P S T N O E U R
A R R E B M U N N G I S S A
G N O R W D E L R A N G P W
A L L E P S C H O O L B U A
R O O T E G A T S T U D Y Z
```

ADVERB	NUMBER	STAGE
ASSIGN	OUT	STUDY
AWARD	PRACTICE	SUFFIX
CACHE	QUIZ	TURN
CHAMPION	REPLY	UKULELE
CHILDREN	ROOT	VACUUM
GNARLED	SCHOOL	WINNER
GRAMMAR	SCISSORS	WORDS
KHAKI	SENTENCE	WRONG
NERVES	SPELL	ZUCCHINI

56   Solution on page 114

Physical Fun

```
T F A N S E W F I T N E S S
B S X C U C L I X F X T T C
S H D G T O S T N E V E A O
J O A T G I R Y R D H L D R
J E T E P M O C Y A C H I E
L S W K U G I N H R A T U G
N L A C I S Y H P O O A M H
S J K I E Z I M O T C S M O
A N E R A F U N R A D K A B
S E L C S U M P T G D I E B
A T Y G N I H S I F S L T Y
F I R U G B Y E I Y A L P T
```

ACTION
ARENA
ATHLETE
COACH
COMPETE
CRICKET
ESPN
EVENTS
EXERCISE
FANS

FISHING
FITNESS
FUN
GATORADE
GOLF
GYM
HOBBY
HOCKEY
LEAGUE
MUSCLES

PHYSICAL
PLAY
RUGBY
SCORE
SHOES
SKILL
STADIUM
TEAM
TROPHY
WIN

Solution on page 114

Air Travel

```
L B F S Z H P T E K C I T C
I A U J S L X V O Y A G E L
N I N S A F E T Y P M U J A
E S G N I D R A O B R Z Y I
S L Y G E N I Z A G A M E M
L E L A E M E X C I T I N G
A D C Q P A S S P O R T R Y
Y E L U D E H C S X G S U G
O L A I R P O R T A B O O K
V A C A T I O N T R W C J Q
E Y Q R E S T E W A R D Y O
R W O D N I W Y T R E V I D
```

AIRPORT	FUN	REST
AISLE	GATE	SAFETY
BOARDING	JOURNEY	SCHEDULE
BOOK	JUMP	SECURITY
BUSINESS	LAYOVER	STEWARD
CLAIM	LINES	TARMAC
COST	MAGAZINE	TICKET
DELAY	MEAL	VACATION
DIVERT	PASSPORT	VOYAGE
EXCITING	PLAN	WINDOW

Romantic

```
C D J U T Y N O T E R A D C
W R Y O M E O P M Y D N A C
L A U A L W E D D I N G N W
X C E D W D C S N S L M C E
H R D E S O S N I T A C E L
D U N J U Q E E E R Z L T G
C I G P N R P E R A P U A G
W S L I R E W I R E R R D U
E E E H I S A W C H N K U N
P V V V S G W Q J N O A B S
A R O S E S L L A O I M D C
K M N L R D U A B E A C H E
```

BEACH	DREAMY	POEM
BOOK	HEARTS	ROSES
CANDY	HUG	SERENADE
CARD	LIMO	SNUGGLE
COUPLE	LOVE	SUNRISE
CRUISE	MARRIAGE	SURPRISE
CUDDLE	MOVIE	SWEET
DANCE	NOTE	TOUCH
DATE	NOVEL	WEDDING
DINNER	PICNIC	WINE

Solution on page 115

Growing Food

```
M P N G H X N A R G H D N D
F A R M M M T S Q U W O R K
P R O D U C E N I B M O C R
P K C T I G T O A I Y F E C
A O U L N Z V I I L T A A S
F A R A Y I E L D O P J B Q
E A R C K G O L M R I C E U
G O L A Z C C A B B A G E A
R H L L C E T C A R R O T S
A E N O R O S S L I A T S H
I R R F E A S T P T U N D T
N B A S I L L E S E Q U R D
```

AUTUMN	FARM	PRODUCE
BASIL	FEAST	REAP
BEETS	FOOD	RICE
BROCCOLI	GARLIC	RIPE
CABBAGE	GRAIN	SCALLION
CARROTS	HERB	SELL
COMBINE	KALE	SQUASH
CORN	OATS	TOMATOES
CROP	ORANGES	WORK
FALL	PLANT	YIELD

Solution on page 115

Recreational Vehicles

```
B E G A Y O V L E V A R T S
H H X V Y F T B O N C A P T
U R E C A R A V A N U F B A
Y T R A I L E R O L P X E R
U K S Q T G N I N W A M G S
R N I O Y E T T Y L I M A F
O E W T L A R E M M U S G C
O D L I C S W O D N I W G Z
D A B A N H W H E E L S U R
B O V Z X D E B G P E E L S
M R W E E K E N D I R B Y H
B A T H R O O M A P H Z Z S
```

AWNING	HIGHWAY	STARS
BATHROOM	HYBRID	SUMMER
BED	KITCHEN	TRAILER
CAMP	LOST	TRAVEL
CARAVAN	LUGGAGE	UNWIND
DOOR	MAP	VACATION
EXPLORE	MOBILE	VOYAGE
FAMILY	RELAX	WEEKEND
FUN	ROAD	WHEELS
HEATER	SLEEP	WINDOWS

Solution on page 115

Feelings

```
A W C W O R R Y O J W J N S
H C A L M N E S S E N Y H S
K O O O C O M F O R T S E Z
R I P V C G D J H K C O H S
O O N E E L G E C S T A S Y
R V W D G D V A R R A E F T
R A M D N A C L R O N O H S
E S R O M E R O E D B E P E
T L I U G P S U A H P E D D
Y X E W A X Q S O P A I H O
H U M I L I T Y P C R T T M
F M N Y S H A M E P S N E Y
```

AWE	HONOR	PITY
BOREDOM	HOPE	PRIDE
CALMNESS	HUMILITY	REMORSE
COMFORT	JEALOUSY	SADNESS
COURAGE	JOY	SHAME
ECSTASY	KINDNESS	SHOCK
FEAR	LOVE	SHYNESS
GLEE	MODESTY	TERROR
GUILT	PAIN	WORRY
HATE	PEACE	ZEST

Solution on page 115

Face the Music

```
I N M Y H M D E L E L U K U
N A B M A S A N D A N T E S
A D L Y R E S M E L O D Y M
P U S P M R E N K C U R B H
M E S X O B P E V A T C O A
I T U M N A I C I S U M A R
T R A F Y Z P N E T T I R B
J O R E K S G N I R T S D T
A N T L B P A G A N I N I U
Z D S C H U B E R T E Z I B
Z O V I V A L D I D R E V A
N R E N G A W H I S T L E O
```

ANDANTE	HYMN	SCHUBERT
BAGPIPES	JAZZ	STRAUSS
BEAT	KEYBOARD	STRINGS
BIZET	LYRE	TIMPANI
BRAHMS	MELODY	TUBA
BRITTEN	MUSICIAN	UKULELE
BRUCKNER	OCTAVE	VERDI
CLEF	PAGANINI	VIVALDI
DUET	RONDO	WAGNER
HARMONY	SAMBA	WHISTLE

Solution on page 115

Spooky House

```
E S J E X B P B V O I C E S
M B A P P H A N T O M C N Y
V E C H A S E N O D N A B A
A W L M E T P D G E S R U C
M D H S I I B I S I E I A I
O L I I C R S E D L N N F S
A O F R S I R P P E L G L U
N C E K T P T O O N R I O M
S A M R A S E T R O R G H F
K L P A B P B R A S K I R C
S S T D E M O N S T E R F M
Y U Y G H O S T A I R S Q I
```

ABANDON	DEMONS	PEOPLE
ATTIC	EMPTY	PHANTOM
BANGING	FOG	PRESENCE
BATS	GHOST	SPIDER
CHASE	GROANS	SPIRITS
CHILLS	MIRRORS	SPOOK
COLD	MOANS	STAIRS
CREAK	MONSTER	VOICES
CURSE	MUSIC	WEBS
DARK	NOISES	WHISPERS

Solution on page 116

Artistic

```
W S Y W M J N B W O R K S W
A T T D O G P E S K E T C H
R Y E A N L O A F E A S E L
H L M V E A R U G M G C N E
O E P I T R T T H S L A E G
L N E N A U R Y G I A R M N
M A R C R M A U O L R V E I
A P A I N T I N G A T E R W
R T S C A S T T N E I C N A
B M C I L Y R C A R S X E R
L S T L A U S I V A T X G D
E R V U O L A Y E R S L K M
```

ACRYLIC
ANCIENT
ARTISTS
BEAUTY
CARVE
CAST
DA VINCI
DRAWING
EASEL
FUTURISM

GENRE
IMAGES
LAYERS
LOUVRE
MARBLE
MONET
MURAL
OIL
PAINTING
PANEL

PORTRAIT
REALISM
SCENE
SKETCH
STYLE
TEMPERA
VAN GOGH
VISUAL
WARHOL
WORKS

Solution on page 116

Chinese

```
A P B R I N I A H G N I Q T
U E C O E J I A N G X I R I
O E H O B C G I H O R S E B
M H A S E S H A N G H A I E
S S I T H C S A N H U I M T
I H N E I A U B N S T Z E N
O X A R F A N O E G U X R I
A P N A B U D D H I S M P L
T E K A N S J N O Z J H P I
I E B U H X M I A N I I A J
N A N U H S I R A P G U N R
T V H E N A N A N N U Y G G
```

ANHUI	HORSE	ROOSTER
BEIJING	HUBEI	SHAANXI
BUDDHISM	HUNAN	SHANDONG
CHANGSHA	I CHING	SHANGHAI
FUJIAN	JIANGXI	SHANXI
GANSU	JILIN	SHEEP
GUIZHOU	PANDA	SNAKE
HAINAN	PIG	TAOISM
HEBEI	PREMIER	TIBET
HENAN	QINGHAI	YUNNAN

Solution on page 116

Lightweight

```
A L I N T K D X W O L L I P
L I F E A T H E R F F U L F
T H R E A D I Q E H Q A S G
N D B U D U S T Y S S M S L
I M A G I R O D A T U E A O
K N L N E A R R I N G S R V
P V L I K O F C I N I B G E
A W O R G O K M O O J U D S
N F O E A E U P V T M B M T
A C N M R L S M K T K B I E
K L I S A T I S S U E L C A
L P U P P Y G G D B N E P M
```

AIR	FOAM	PLASTIC
ALUMINUM	GLOVES	PUPPY
BALLOON	GRASS	SEED
BUBBLE	HYDROGEN	SILK
BUTTON	LINT	SPONGES
CORK	MERINGUE	STEAM
DUST	NAPKIN	STICKERS
EARRINGS	ORIGAMI	THREAD
FEATHER	PEN	TISSUE
FLUFF	PILLOW	TITANIUM

Solution on page 116

Olympics

```
R F S U M M E R M S R H F J
B F G O R A C E E N E O G A
N E T E P M O C H E F C B V
G N I L C Y C C T H E K I E
N C Y J N B M O N T R E A L
I I F R I N G S A A E Y T I
I N I K E N S I L V E R H N
K G L N Q H G R E N O B L E
S O A T O R C H A M P I O N
H L U G N I L R U C O D N K
B D Q Y R A G L A C U R N W
V A U L T O L S O J M I W S
```

ANTHEM	FENCING	REFEREE
ARCHERY	GOLD	RINGS
ATHENS	GRENOBLE	ROME
BEIJING	HOCKEY	SILVER
BIATHLON	JAVELIN	SKIING
CALGARY	JUDO	SOCCER
CHAMPION	MONTREAL	SUMMER
COMPETE	OSLO	SWIM
CURLING	QUALIFY	TORCH
CYCLING	RACE	VAULT

Solution on page 116

Types of People

```
P P L A Y O L W E E P Y H D
L A F R A I D R I V E N A P
Q D G E W C I E L B O N U F
T N V C E A Y K A E N S G Y
A I F K E L I T S O H Y H B
L K Y L T M B E Y R M S T F
L T D E C I S I V E U S Y A
D F O S H T N U L O Z O P I
U U O S I G Y Q I L Z B M R
X S M N S U O R O M U H U J
I S G L N A U G H T Y G R J
G Y Y Y K C D S T R O N G Q
```

AFRAID	FUSSY	NOBLE
ANGRY	GRUMPY	QUIET
ANNOYING	GULLIBLE	RECKLESS
BOSSY	HAUGHTY	SAD
CALM	HOSTILE	SLY
CURIOUS	HUMOROUS	SNEAKY
DECISIVE	KIND	STINGY
DRIVEN	LOYAL	STRONG
EVIL	MOODY	TALL
FAIR	NAUGHTY	WEEPY

Solution on page 116

Ski Vacation

```
E R O M A N C E G D O L H P
N E P S A Y S E P O L S I A
Q N H O D A R O L O C L L R
H T M R A W E A G E Y A L K
R A L L I H N W O D A L S A
A L E S S O N S X M D O T V
B S H T D C I E Y L I M A F
N R O F O N G B S E L G O G
I O Q C Y S E L G G O G C O
B H O T T U B I N G H M C Q
A A C W I N T E R E D W O P
C G A M E S L L A F S N U R
```

ASPEN	FAMILY	PARKA
BAR	FRIENDS	POWDER
BEGINNER	GAMES	RENTALS
BOOTS	GOGGLES	ROMANCE
CABIN	GOGLES	RUNS
COATS	HILLS	SLALOM
COCOA	HOLIDAY	SLOPES
COLORADO	HOT TUB	TUBING
DOWNHILL	LESSONS	WARMTH
FALLS	LODGE	WINTER

Solution on page 117

Check the Weather

```
D R O C E R A I N B O W L A
H V V T B F T C E I L I N G
O A D E O L N N O O S N O M
M M I E O H I G U S T D O E
T I C L V L O Z N B H S N L
S S A S E L P O Z U S O I Z
U T N D R A W E M A L C N Z
N S I O C F E I M C R K L I
A O N O A N D R Y V L D E R
M R A L S I I C H A Z E L D
I F L F T A T R O U G H A H
G O F Y D R O U G H T P G R
```

AIR MASS	FOG	MONSOON
BLIZZARD	FROST	OVERCAST
CEILING	GALE	RAINBOW
CLEAR	GUST	RAINFALL
CYCLONE	HAIL	RECORD
DEWPOINT	HAZE	SLEET
DRIZZLE	HOT	SNOWFALL
DROUGHT	HUMIDITY	TROUGH
EL NINO	LA NINA	TSUNAMI
FLOODS	MIST	WINDSOCK

Solution on page 117

71

Home Projects

```
T O O L S T P P R E V E N T
B Y F E E A L I S N X N H V
F W V P I L N R A A E I C Y
D A R N M S O E M E W T T W
E A T S P I L I R K L U A C
C E T E R C N O C N P O P W
A U C E O E T D Z G S R H O
L T T X V S R C R A C K S D
P X S R E T S A L P R X I N
E I U R S I D I N G E O L I
R F D E S E P I P E E O O W
U N C L O G T I L I N G P D
```

CARPET	FIX	RESTORE
CAULK	IMPROVE	ROUTINE
CLEAN	INSPECT	SAW
CONCRETE	PAINT	SCREEN
CRACKS	PATCH	SIDING
DOOR	PIPES	TILING
DUST	PLASTER	TOOLS
EAVES	POLISH	UNCLOG
EXAMINE	PREVENT	UPGRADE
EXTERIOR	REPLACE	WINDOW

Solution on page 117

Falling In Love

```
I  L  I  K  E  U  Z  Y  W  H  I  M  S  Y
N  N  F  G  N  I  N  R  A  E  Y  H  M  F
N  O  L  O  N  G  I  N  G  P  L  S  Y  I
O  M  I  S  J  H  D  E  L  I  U  U  P  R
C  M  R  T  U  S  R  W  O  N  F  L  A  S
E  O  T  P  O  O  N  F  Y  I  H  B  S  T
N  C  R  M  D  V  E  F  A  N  T  A  S  Y
T  R  E  A  P  J  E  G  L  G  I  D  I  T
K  U  D  P  D  A  Y  D  R  E  A  M  O  E
I  S  N  G  N  U  O  Y  W  O  F  I  N  E
S  H  E  P  D  A  R  L  I  N  G  R  Z  W
S  E  T  A  D  E  T  U  C  A  R  E  S  S
```

ADMIRE	DEVOTION	LONGING
ADORE	FAITHFUL	LOYAL
BLUSH	FANTASY	NEW
CARESS	FIRST	PASSION
COMMON	FLIRT	PINING
CRUSH	GORGEOUS	SWEET
CUTE	HANDSOME	TENDER
DARLING	INNOCENT	WHIMSY
DATES	KISS	YEARNING
DAYDREAM	LIKE	YOUNG

Solution on page 117

At the Theater

```
R B M Y P U S H E R S T O C
V R O A U M N E E R C S Z Z
E O V L P B I E T A D P R P
I A I P P G A S C E N E D L
C D E V E N T L I H K E E I
S W Y C T M R D L N X C S G
S A A O E R U T S E G H I H
T Y P M M S C T Q G T I G T
A R R E E E M U S I C K N Z
G O O D S N O I T O M E C G
E T P Y P I I P O P C O R N
G S S F I L M C R I T I C K
```

ACT	EMOTIONS	PROPS
BALLET	EVENT	PUPPET
BROADWAY	FILM	SCENE
CINEMA	GESTURE	SCREEN
COMEDY	LIGHT	SINGING
COSTUME	LINES	SPEECH
CRITIC	MOVIE	STAGE
CURTAIN	MUSIC	STORY
DATE	PLAY	TICKET
DESIGN	POPCORN	USHERS

Solution on page 117

Jungle Boat

```
U A C F I A J U R R O C K V
V N A T I V E S T O R R A P
W T B N R S K B O A T O U R
A R I N A I H L E E C H E S
T E N E P C I P I H S F E L
E K F P R R O G O R I L L A
R R E F A U N N E L B F D G
A R O F A I T D D L E R D O
P U A H N R I L I A A O A O
I S Y I S P I O U P U G P N
D O D S S W N G G C T S V R
S C I P O R T Q V O Y A G E
```

ANACONDA	GUIDE	SHIP
BEAUTY	LAGOON	SHORE
BOAT	LEECHES	SKIPPER
CABIN	LION	SPIDERS
CULTURE	NATIVES	TOUR
DINING	PADDLE	TREK
FISH	PARROTS	TROPICS
FROGS	RAPIDS	VOYAGE
GIRAFFE	ROCK	WATER
GORILLA	SAFARI	WILDLIFE

Solution on page 117

Elevators

```
C N W O D I N G R A I N P I
B Y P H A S P O T S F A S T
I E C I V R E S N A G A R V
N L L S C Y S O L L O B B Y
Q L K L T E T L H E I T S Z
H U V E R T I C A L N H I Z
O P F P U N A A S E G G E S
I A X B G B Z H M C U I V P
S E R E L U A E A T P E O V
T O O E G F S X L R D R M M
M R O F T A L P L I D F D O
M R D N B S C Q K C U T S C
```

BASEMENT	EXPRESS	OPEN
BELL	FALLING	OTIS
BUTTON	FAST	PLATFORM
CABLE	FREIGHT	PULLEY
CAGE	GOING UP	SAFETY
DING	GRAIN	SERVICE
DOOR	HOIST	SHAFT
DOWN	LOBBY	STOPS
DROP	MALL	STUCK
ELECTRIC	MOVE	VERTICAL

Solution on page 118

Party Time

```
J Z T H E M E L G N I M Q J
O S S X Y G D E C E M B E R Y
Y T C C G B S R E T T A L P
F F L N A E T S B G I L O F
U I O A L T N S U W S L O I
L G W D G I E E F I I O Z D
S S N O G A S R F N V O A E
K A S S S T E D E E G N K S
C L A T S Y R C T R C S O S
A S E Z I R P E T I V N I E
N R D G M D R I N K S K T R
S W M E A L I G H T S A O T
```

BALLOONS	DRINKS	MINGLE
BUFFET	EASTER	PLATTERS
CANDLES	EGGNOG	PRESENTS
CATERER	GIFTS	PRIZES
CLOWNS	GUESTS	SNACKS
CRYSTAL	INVITE	SODA
DANCING	JOYFUL	THEME
DECEMBER	KAZOO	TOAST
DESSERT	LIGHTS	VISIT
DRESS	MEAL	WINE

Solution on page 118

Across America

```
F T O W N S D Y S F S X S N
A L A M O R I R M I O K M A
E V I R D A N O U E U Y R E
F S R G K C E T E L T T A C
S I O Y H N R S S D H U F O
L G C O I T S I U S J A N S
O N K S R U S H M O R E Y H
O S I E F I L D L I W B P O
H U E M P A R K S Y J W I P
C J S I S L A N O I T A N S
S T A T E S S R E D R O B C
A S P E N S K C U R T S E W
```

ALAMO	FIELDS	SCHOOLS
ASPEN	FLIGHTS	SHOPS
BEAUTY	HISTORY	SIGNS
BORDERS	MUSEUMS	SOUTH
CARS	NATIONAL	STATES
CATTLE	NEW YORK	TOWNS
CUISINE	OCEAN	TRUCKS
DINERS	PARKS	WEST
DRIVE	ROCKIES	WILDLIFE
FARMS	RUSHMORE	YOSEMITE

Solution on page 118

Lawns

```
D P O O L Y T O P S O I L T
W A T E R I N G N I G D E I
N T H M U L C H I N G M O E
N I G A V C L A P R A J S S
I O N L E V E L I N G B B U
T S I R J R U B I G U R U R
R R M E A G A C R R U I R O
O E M T S K U T H A G C G C
G W I A N R E S E D B K S K
E O R G E W E E D I N G B S
N L T S O P M O C N L L I F
J F E N C E C I L G S E E D
```

AERATE
AERATION
BARBECUE
BRICK
COMPOST
EDGING
FENCE
FILL
FLOWERS
GATE

GRADING
GRILL
GRUBS
LEVELING
MANICURE
MULCHING
NITROGEN
PATIO
PLUGS
POOL

RAKE
ROCKS
SEED
SHRUBS
SOD
TIES
TOPSOIL
TRIMMING
WATERING
WEEDING

Solution on page 118

At Work

```
K S E D C J D R A C Y E K H
C U B B Y P O T P A L B D C
E O X M R O F I N U T O E N
H A N D B O O K D W R R C U
C L T T F I L E S M A D I L
Y A A A A R H T E P I R F D
A N R C E C U E R N A F N
P Y A P S N T R G N I W O A
H A C Y O I P S L E G A B E
O R S D N O U T F I T H H L
N D A G B G L A S S E S F C
E I M B O S S U I T J O B P
```

BAGELS	GLASSES	OFFICE
BOSS	HANDBOOK	OUTFIT
CARPOOL	JOB	PAYCHECK
CHAIR	KEYCARD	PHONE
CLEAN	LANYARD	PREPARE
CONTACTS	LAPTOP	SCHEDULE
CUBBY	LUNCH	SUIT
DESK	MASCARA	TRAIN
DONUTS	MEETING	UNIFORM
FILES	NEAT	WARDROBE

Solution on page 118

Volunteer Hours

```
E Q C O A C H E L P F P H D
R T I F E N E B E S E M O V
R Y G N I V I R D K I U S U
A A R O T N E M C I L S P M
N I P A R K S A A L E E I O
D D L A C O L S C L R U C N
S E H T O L C H E S S M E E
C T E M I T A M E N E R G Y
O O G N I R O T U T D O J B
U V G U I H C R A E S N I L
T E H T U O Y N E Z I T I C
S D Y R E S C U E V R E S K
```

AID	ENERGY	PARKS
ANIMALS	ERRANDS	RELIEF
BENEFIT	HELP	RESCUE
CALLING	HOMELESS	SCOUTS
CHARITY	HOSPICE	SEARCH
CITIZEN	KINDNESS	SERVE
CLOTHES	LOCAL	SKILLS
COACH	MENTOR	TIME
DEVOTED	MONEY	TUTORING
DRIVING	MUSEUM	YOUTH

Solution on page 118

Under Pressure

```
N N G N I R I T I C K E T S
E I K R O W Y E N O M M N Y
R A F A H P R E S S U R E A
V R I P N G N I P P O H S D
E T R V I X N P T B O H N I
S S E N L L I I W R D E U L
L D G N O I S E V R A A N O
L E N O I S N E T I N V R H
I A I T H E R A P Y R Y E F
B T V B X T S E T Y O D S L
E H O A C I F F A R T O T W
C J M R A L A T D R E A D R
```

ALARM	ILLNESS	TENSION
ANXIETY	JOB	TEST
BILLS	MONEY	THERAPY
DEATH	MOVING	TICKETS
DREAD	NERVES	TIRING
DRIVING	NEWBORNS	TORNADO
EXAM	NOISE	TRAFFIC
FIRE	PRESSURE	TRAVEL
HEAVY	SHOPPING	UNREST
HOLIDAYS	STRAIN	WORK

Baseball

```
S S H T D U G O U T H R O W
W D U B I M G E D I L S S M
I N N U A F A N S L F E U C
N A I U M S S L I O A E M P
G T F R O P E M L T S K M L
P S O E N M I B C A T N E A
L X R H D T L R A O B A R Y
A O M C T F L W E L A Y B O
Y S S T A D I U M S L C L F
E D X A T I H T E M L E H F
R E H C T I P I N N I N G S
S R E G G U L S P O R T S Z
```

BASEBALL
BATTING
CATCHER
COACH
DIAMOND
DUGOUT
FANS
FASTBALL
FLY BALL
HELMET

HIT
INNINGS
MITT
MOUND
PHILLIES
PITCHER
PLAYERS
PLAYOFFS
RED SOX
SLIDE

SLUGGER
SPORTS
STADIUMS
STANDS
SUMMER
SWING
THROW
UMPIRES
UNIFORMS
YANKEES

Solution on page 119

Business Startups

```
S S E R A H S Y N A P M O C
X W G I B F T A X A T I O N
L O A N N R I F S A L E S I
D W R L E V U N Z E L P C D
S N U P I N E V A A Q O B E
U E O P D C E S T N M J U A
P R C I P N E I T M C O D B
P E N W T R P N E S T E G G
O G R U V A P R S M O N E Y
R O R I C N C C R E D I T Q
T E C X H E W O R K E R S I
X E B O R R O W L A T N E R
```

BORROW	IDEA	PLAN
BUDGET	INVEST	PROPERTY
CAPITAL	LAWS	RENTAL
COMMERCE	LEASE	SALES
COMPANY	LICENSE	SERVICE
COURAGE	LOAN	SHARES
CREDIT	LOCATION	SUPPORT
FINANCE	MONEY	TAXATION
FUNDING	NEST EGG	VENTURE
HIRE	OWNER	WORKERS

Solution on page 119

The Young

```
Y S U B Z R B P C Y O U N G
S C H O O L U H S L G N B C
Y S Z I O B O T S R N D C A
O T N O E R U U E O I E H M
B U M R E B O L L T H R I P
J D T S B I I C R N G A L K
S Y X O R N I W A E U G D I
T I R U E S S R E M A E R D
R N C V U L N U F I L C E S
O G U M G R C L O T H I N G
P J A C T I V E S N E E T Y
S S A L C G R O U P E E R S
```

ACTIVE
BLOOM
BOYS
BUSY
CAMP
CHILDREN
CHORES
CLASS
CLOTHING
CURIOUS

DREAMERS
FEARLESS
FUN
GIRLS
GROUP
JUNIOR
JUVENILE
KIDS
LAUGHING
MENTOR

MUSIC
PEERS
PUBERTY
SCHOOL
SPORTS
STUBBORN
STUDYING
TEENS
UNDERAGE
YOUNG

Solution on page 119

Drive Around

```
F A R M S A G N I L B M A C
D E H S U R N U D C Y R I O
H S P O T S I Y A F O Z C U
G N I G N I S M W A J W A P
N A S C E N I C D H N H I L
I S S K Y L U M L M E E M E
R W D P E U R V I E W R L I
U O N S H O C H N T R E E S
O D E S Y A W H G I H V S U
T N I V A L L E Y S A E S R
G I R E L A X T A E S R K E
S W F Y E N R U O J D Q L B
```

AIMLESS	FRIENDS	SINGING
AMBLING	GAS	STOPS
ANYWHERE	HIGHWAYS	TOURING
ASPHALT	JOURNEY	TREES
COUPLE	LEISURE	UNRUSHED
CRUISING	MILES	VALLEYS
DAWDLING	RELAX	VIEW
EASY	ROAD	WHEREVER
ENJOY	SCENIC	WHIM
FARMS	SEAT	WINDOWS

Solution on page 119

Organic Farm

```
O H S E R F A R M I L K O A
U O U O R G A N I C G G G R
T Z S D O H T E M A R K E T
Q S T O T P E S Y E A Y N S
U G A O A E C E E T S G A I
A U I F T S I N S K S O T N
L B N N I T R O G E N L U S
I Y L P O S P M W S U O R E
T D O O N M P R O D U C E C
Y A C R O S M O V E M E N T
L L A C I M E H C E F A S S
H Q L O R E T A W S G R O W
```

CHEMICAL	HORMONES	ORGANIC
COMPOST	INSECTS	PESTS
CROP	LADYBUGS	PRICE
ECOLOGY	LOCAL	PRODUCE
FARM	MARKET	QUALITY
FOOD	METHODS	ROTATION
FRESH	MILK	SAFE
GRASS	MOVEMENT	SEEDS
GREEN	NATURE	SUSTAIN
GROW	NITROGEN	WATER

Solution on page 119

Fun with Children

```
D G A M E S E D I R P E T S
O G K G S G B S E I P P U P
L V I M N N P I R T A S A R
L S T O R I E S C R S N Q E
S D E V O H N Y K Y D O S S
K R S I C G R R A R C O M E
C A F E I U S D A L C L U N
U Z A S N A I G A E P L E T
R I M N U L O E O C L A S S
T W I P O N R C Z D A B U T
Y N L H S E L B R A M K M A
G H Y P C T R A I N S N E C
```

BALLOONS	HOLIDAYS	PRESENTS
BICYCLES	KITES	PUPPIES
CAKE	LAUGHING	RIDES
CATS	LEARNING	RUNNING
CEREAL	MARBLES	STORIES
DOGS	MOVIES	TRAINS
DOLLS	MUSEUMS	TRIP
DRAGONS	PARK	TRUCKS
FAMILY	PETS	UNICORNS
GAMES	PLAY	WIZARDS

Solution on page 120

Seaports

```
S E N D A I A B U D K U Q C
A P C H A N M A Y N A B L A
F E H I L O I U M A S O K D
A N G N O T C I P G B A L I
G A A F U J A I R A H E T Z
A N K T S Q G E X M O U T H
C G A E H S O R R E N T O A
A K R D U X A E R O O M A L
I S O X A N N A W A L E B A
R C A T I M A R U I U V A L
N O G N A Y O D I N L E Q A
S I N U T R O S E A U G A S
```

AITUTAKI	EL NIDO	PICTON
AKAROA	EXMOUTH	ROSEAU
ALBANY	FUJAIRAH	SAFAGA
AQABA	HILO	SALALAH
BALI	HONOLULU	SENDAI
BELAWAN	KO SAMUI	SORRENTO
CADIZ	MADANG	TIMARU
CAIRNS	MOOREA	TUNIS
CHAN MAY	NAXOS	USHUAIA
DUBAI	PENANG	YANGON

Solution on page 120 89

Atomic

```
Z N W D N U O P M O C P C F
D E E Y G R E N E H E O I B
U C I U E L E M E N T S S M
O N G N T G O M E O S I A O
L E H I A R I G F I P T B B
C L T T B C O C O T L I K Q
S A I I A R A N H C I V M U
H V T L D R O E S A T E A A
E A Q Y B I S K E E R G T R
L O H O S N O T O R P G T K
L Q N U E A I S O T O P E S
S O F D M A S S T I N Y R D
```

BASIC	FISSION	POSITIVE
BOMB	FUSION	PROTONS
CARBON	GREEK	QUARKS
CHARGED	HYDROGEN	REACTION
CHEMICAL	ISOTOPE	SHELLS
CLOUD	MASS	SPLIT
COMPOUND	MATTER	TINY
DENSE	NEGATIVE	UNIT
ELEMENTS	NEUTRONS	VALENCE
ENERGY	ORBITAL	WEIGHT

Solution on page 120

Your Destination

```
P E R U T H A N G O U T L U
X M G R E E C E N D Z A N I
C O R E S T W W W H G A O C
L H A R B O R Y O U O E I B
Y E N R U O J O T N M T G B
T R T A D A I R P O R T E Z
R N O S M J O K R I S A R L
I A E A O P Y T I C C S Y M
P E I R D H H G L H H A D I
K C E X P L O R E I O E L A
A O S D N A L S I N O R L M
K L R J N U F I N A L A D I
```

AIRPORT	HARBOR	PERU
AREAS	HOME	PORTUGAL
BEACHES	HOSTEL	REGION
CHINA	HOTEL	REST
CITY	ISLANDS	ROAD
EXPLORE	JAMAICA	ROME
FINAL	JOURNEY	SCHOOL
FUN	MIAMI	TOWN
GREECE	NEW YORK	TRIP
HANGOUT	OCEAN	TROPICAL

Solution on page 120

Pioneers

```
B H K D R W B A C O N C R E
T U U C A I W E S T P O R T
Y N F G A P V K D D P L Y A
G S O F U P M E N E X O A R
K N E M A K S A R B E N P G
S A G T E L L E C S T I R I
L I N Q T R O T F E H Z A M
E D I S E L F U L S E E I K
E N M V A K E O D A C A R T
H I O R L S P R E E N O I P
W U Y A G E A E S R O H E F
C C W V O H A D I E L U M I
```

ANTELOPE	IDAHO	PRAIRIE
BACON	INDIANS	RIVERS
BUFFALO	KANSAS	ROPE
CAMP	MIGRATE	ROUTE
CART	MULE	SETTLERS
COLONIZE	NEBRASKA	WAGONS
DUNG	OVERLAND	WALK
FREMONT	OXEN	WESTPORT
HARDSHIP	PACK	WHEELS
HORSE	PIONEER	WYOMING

At Church

```
P R E L U D E X R Z A P D E
L E H T E B B X O F O M A L
P B A E Y E A I T H R A E D
I O A A B L K F S S Q F R N
H T S S U L O I A S E F O A
S E T T I S B C P H O I Y C
R M E E L L I U A H G R R S
O P E R D U I R E I O M C P
W L P I I E D C L T S L A D
I E L O N L A E A B B E Y L
N P E H G R R R E Y A R P O
E S S C G P O P U L P I T F
```

ABBEY	CHOIR	PRAYER
ACOLYTE	CROSS	PRELUDE
AFFIRM	CRUCIFIX	PRIEST
AMEN	EASTER	PULPIT
BASILICA	FOLD	READ
BELLS	GRACE	RELIGION
BETHEL	HOLY	STEEPLE
BISHOP	ORATORY	TEMPLE
BUILDING	PASTOR	WINE
CANDLE	POSTLUDE	WORSHIP

Solution on page 120

Gadgetry

```
E L G D C K E E L S K E E G
L W S E C I S U M T Y H N I
I P H O N E L B A T R O P Z
B D R Z Y T L E V O N B T M
O I E W I R E L E S S A P O
M G D R E N U T U R L T O S
P I R H A N D H E L D T T E
L T O V R R E M A G A E P N
A A C I E G F M U D G R A O
S L E D M P S N D D V Y L H
M G R E A S E C I V E D A P
A F N O C C M W O E R E T S
```

AUDIO	GPS	PORTABLE
BATTERY	HANDHELD	RECORDER
CAMERA	INFRARED	SLEEK
CELLULAR	IPHONE	SMALL
DEVICES	LAPTOP	STEREO
DIGITAL	MOBILE	TOYS
DVD	MUSIC	TUNER
GAME	NOVELTY	VIDEO
GEEKS	PHONES	WIDGETS
GIZMOS	PLASMA	WIRELESS

94   Solution on page 121

Parts of You

```
M C B N N Q U F P I H E S C
L U H O A Q G W U G U R R H
A R T E R I E S I G A O A I
P R U N S F L H N R N N E N
P G O B E T T O A E D S N T
E M M M R M T U E S E N O B
N M U A T K O L L V N E L J
D R E N W A P D R I S O O S
I H B L O S O E A H V E C L
X E T H B O N R G K C E N Y
U S C A L P B U H R C N R G
C N T B E H T O O T H K J O
```

APPENDIX	FEMUR	OMENTUM
ARTERIES	HANDS	PALM
BLOOD	HEART	SCALP
BONES	HIP	SHOULDER
BRAIN	KNEE	SPLEEN
CHEST	LIVER	THIGH
CHIN	MOUTH	THROAT
COLON	NAIL	TOES
EARS	NECK	TONGUE
ELBOW	NERVES	TOOTH

Solution on page 121

Vegetarians

```
C O W S Q F O O D S A L A D
L S O B E L I E F M Y D N D
E N I E T O R P O I U A E I
A A B N O P P R A C T I C E
N E D E M O A O C U P V U T
F B A F N L Z S R R E K T A
X I I I I K A O G M T T R
D R R T V L D A C A I E Y
T E Y S O I U N S S I N L Y
O B R U R C I A T E P E I K
F I S H E S N E E R G H T C
U F A R M I N G N I T A E Y
```

BEANS	FISH	PETA
BEEF	FOODS	POLITICS
BELIEF	GREENS	PRACTICE
BENEFITS	LEAN	PRODUCE
COWS	LETTUCE	PROTEIN
DAIRY	MILK	SALAD
DIETARY	MORALITY	SOCIETY
EATING	NATURAL	TASTE
FARMING	OMNIVORE	TOFU
FIBER	ORGANIC	VEGANISM

Solution on page 121

Learn to Drive

```
D L E E H W E I V P L N S T
V B D S W C D J C S P E E D
E W T H W C T A F Y N N A R
T P C I Z A R U O A B G T I
W U O F M M L D L R H N B V
H W Q T A R P R A C T I C E
G W B N S S E K D L I S I R
A V U D R H E P E A R S F U
S A M E C S T B P S E O F Q
L Y P A L I M I T S S R A G
S I E N G I N E L E V C R F
W T R K M Y D U T S Z K T I
```

BELT	KEYS	SHIFT
BRAKE	LANE	SPEED
BUMPER	LAWS	STOP
CAR	LIMITS	STUDY
CLASSES	MANUAL	TEACHER
CLUTCH	PEDAL	TIRES
CROSSING	PERMIT	TRAFFIC
DRIVER	PRACTICE	VIEW
ENGINE	ROAD	WHEEL
GAS	SEAT	WIPERS

Solution on page 121

C Words

```
C G N U L C G E O L L X R R
S C I O G N L T R E C N O C
U O F S I P H C N P T D L O
T R F K U T R N Q A I S O L
C K O O O E A E Z H D E C U
A H C L E H V E E C E I Y M
C E C K C B W O R H R N L N
E E S Y E N M I H C C O I E
S F S W B E S R U O C L N S
A F B M I L C L P O V O D O
H O O U K L A H C L Y C E H
C C F X T R O F M O C N R C
```

CACTUS	CLIMB	COMFORT
CHALK	CLOTH	CONCERT
CHANNEL	CLUNG	COOL
CHAPEL	COBWEB	CORK
CHASE	COFFEE	COUPLE
CHEER	COFFIN	COURSE
CHIMNEYS	COLONIES	CREATION
CHOKING	COLOR	CREDIT
CHOSE	COLUMN	CREEK
CIRCULAR	COMB	CYLINDER

Solution on page 121

Little Kids

```
W M O V I N G D K E S A H C
H R S E O H S N R E P A I D
J U M P L A Y U I X I F E S
E N Y P P E P F Z R R V D U
X S G N I L B B A B I E S O
P T I B P B A L L T T T A I
L E V I T A E R C A E U N R
O A Y N V R N A M D D J D U
R D D G R O W I N G O X B C
E Y B O L D N D L A I C O S
G N I N R A E L G G I G X Q
L L A M S H A R D Y K L A W
```

ACTIVE	EXPLORE	PLAY
ADORABLE	FUN	RUN
ANIMATED	GIGGLE	SANDBOX
BABBLING	GROWING	SHOES
BALL	HARDY	SMALL
BOLD	JUMP	SOCIAL
CHASE	LEARNING	SPIRITED
CREATIVE	MOVING	UNSTEADY
CURIOUS	NAP	UNTIRING
DIAPER	PEPPY	WALK

Solution on page 121

Food Prep

```
Z G C L D U R Y R O T C A F
D G A O O D N J Q Y S X D A
Q E N D O H T E M N A E D R
M E I I F K G I Z Y F A I M
I T M Y D N B C R O P S T P
X S A H I N D U S T R Y I R
F A L K H S I F T D R F V O
R T O X T C I R T C E L E D
E M P D R Y I N G T H E L U
S U G A R P A C K A G E F C
H S S E C O R P R E P A R E
S P F J H Q W V N H Y M B A
```

ADDITIVE	FARM	MEAL
ANIMAL	FAST	METHOD
BUTCHER	FEED	MIX
CAN	FISH	PACKAGE
COOK	FOOD	PREPARE
CROPS	FRESH	PROCESS
DRYING	FROZEN	PRODUCE
EASY	GRINDING	SMOKING
ELECTRIC	HEAT	SUGAR
FACTORY	INDUSTRY	TASTE

Solution on page 122

Exotic Travels

```
A R U B A I I U N O Z A M A
I P J N S T R J U N G L E C
A L T L I E B N S G K T F I
B A A H P Q G E C U A D O R
U N A B G I U I I M N Q B F
D T U A E N E E I J C F T A
E S T R E F I L D L I W P C
S U O I R U C K Y J E N Y I
E F U V A C A T I O N M G N
R Z R T E L E V A R T D E E
T E R O L P X E R U T L U C
B E A C H O N D U R A S F S
```

AFRICA	DESERT	PERU
AMAZON	DUBAI	PLANTS
ANCIENT	ECUADOR	SCENIC
ARUBA	EGYPT	STRIKING
BALI	EXPLORE	TAHITI
BEACH	FIJI	TOUR
BEIJING	FOREIGN	TRAVEL
CLIMATE	HONDURAS	UNIQUE
CULTURE	ISLAND	VACATION
CURIOUS	JUNGLE	WILDLIFE

Solution on page 122

Having Sons

```
H G T P R I Z E D Q L O V E
C A R E K R V O F O P S M L
I O F H A I I O U O N M W A
A F C I T C D D M T L I O M
P Y H C G V H O B T S L W R
A L A U G H T E R U M I O T
V I R E W H T O O Y A N D W
N M M S E O P I T V R G N E
I A I R H P R R H U T R M J
Z F N U U U I G E L A V I R
T I G S C D P A R E N T M I
T D L I W W B Q L S W E E T
```

ACTIVE	HUG	PRIZED
BROTHER	KID	RIVAL
CARE	LAUGHTER	ROMP
CHARMING	LEARN	SMART
CURIOUS	LOUD	SMILING
DIRTY	LOVE	SUPPORT
FAMILY	MALE	SWEET
FIGHT	MOTHER	TEACH
FOLLOW	OUTSIDE	TWIN
GROW	PARENT	WILD

Solution on page 122

Amazing Helen Keller

```
S X T L D D N A C I R E M A
C L E E A W L R B L I N D C
H E A R I N G I R L G V L T
O F C O L K G S H I O N I I
O T H H C E U U S C D A A V
L I E T J O C T A E U M R I
S S R U M N U T G G A O B S
T T B A O D E R U B E W T T
O H F I E S E G A R F F U S
R G S N G E E L P G E O P X
Y I T E L C A R I M E R J X
V R E T A W T I C B O O K C
```

ACTIVIST
ADVOCATE
ALABAMA
AMERICAN
AUTHOR
BLIND
BOOK
BRAIL
CHILD
COURAGE

DEAF
DEGREE
FAMOUS
GIRL
HEARING
LANGUAGE
LECTURER
LEFTIST
MIRACLE
RIGHTS

SCHOOL
SIGN
STORY
STUDENT
SUFFRAGE
TEACHER
TOUCH
VISION
WATER
WOMAN

Solution on page 122

Fish

```
W Y Y K J I G A Z Y P S T B
D R W A T C N I T X E M P A
T I O N R U Y I H L L A M S
M V N I T G C G T A A E E S
D E N E V I N N E F G R P L
I R I E X A B I E R I T A E
V S M O Y I H D T E C S H E
U S T S O E L E T S E C S K
J A W L E S S E B H R H E A
K C O D D A H R S E A O Z L
E G G S N I F B P G D O B U
Y L I A T Y E Z I S L L I G
```

BASS	GILLS	SHAPE
BEHAVIOR	HADDOCK	SIZE
BIOLOGY	JAWLESS	SMALL
BREEDING	LAKE	STINGRAY
EELS	MINNOW	STREAMS
EGGS	PELAGIC	TAIL
EXTINCT	PERCH	TEETH
EYES	RIVERS	TELEOSTS
FINS	SCHOOL	TOXICITY
FRESH	SEA	TUNA

Solution on page 122

Answers

Gardens

Golfing

Fabrics

All Verbs

Household Objects

Internet Browsing

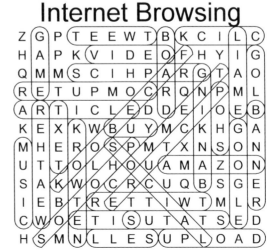

Answers

Around Asia

```
I S R A E L Y Z S Y R I A A
E U P T H A I L A N D V B R
N K S E V I D L A M O T A M
U R O O P S J O R D A N H E
R A M N A Y M O L I S A R N
B I A A K A Y O D A I I A
S N N P I L M O N G O L I A
U E T A S A B I R A Q S N N
R P E J T M N O N A B E L I
P A I P A U E N A W I A T H
Y L V C N G H K U W A I T C
C Y E M E N R B Q A T A R X
```

Popular Music

```
T D A X E S A H C R U P Y B
E A S A C L Y R I C S O B U
E N L E D O H Y R T N U O C
N C S B G O N E T S I L U B
D E D A U A W C C G R A N C
Y U R N I M S N E A N Y C B
K V O D T S H S L R N U E B
R I W L A B U U E O T R O L
E D C C R D P R M M A A D Y
P E P P Y O G R O U P D H S
I O O M P C A T C H Y I H A
Q S T R A H C S L A C O V E
```

Brand Names

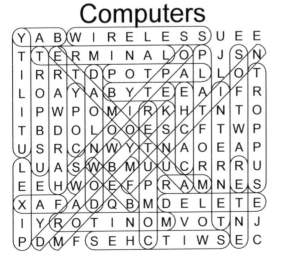

```
X E L O R I T E A I D K O S
N O X I L F T E N P P T S O
E B E E T A G L O C P T P N
E D F U T O Y O T A A L S Y
R U I S P I L I H P M E E Q
G W L I V S V D L M A T A J
L L T C C I O E R G Z N R K
A H E F A C S E N A O I S O
W X M C S E U I V R N K V D
D A O I W T E G R A T E T A
P M C O N O K I A T R A M K
J F L B B X O R E X C R Q T
```

Waves

```
F Y L K B N T I D E R D U M
T Q O E N E R G Y D N I W D
U F O Q P E R I O D P E A K
Q C P U G E Y B D O O G T C
C G I A E S C I S Y H P E O
U A N T R L E N G T H O R H
N H I S T B M U I D A T S
S N A O D U I U H C R A S H
G S A N D N O C N O I T O M
U U R I D E A C L L L A K E
Q R P C R E S T A E V O Q A
B F K Q B W W D S V V B N U
```

Complicated Computers

```
Y A B W I R E L E S S U E E
T E R M I N A L O P J S N
I R R T D P O T P A L L O T
L O A Y A B Y T E E A I F R
I P W P O M I R K H T N T O
T B D O L O O E S C F T W P
U S R C N W Y T N A O E A P
L A S W B M U U C R R R U
E E H W O E F P R A M N E S
X A F A D Q B M D E L E T E
I Y R O T I N O M V O T N J
P D M F S E H C T I W S E C
```

Factories

```
T N A L P G P D Y T K K E A
S S E T A E R C I N P Q C L
I S Y S T E M E A R Y I P A
G S O L V E N T E T D R L Z
N E Z A A G A S E N O L P
L M T C C T S F U D I F R I P
H U H I E U A O U O S G T P
E F X M R S P C Y G R E N E
A O Y E F M T W A T E R O E
T L W H O R E K R O W N C M
H O H C R A E S E R O T P N
P C W O L F K G B A T C H Q
```

H at End

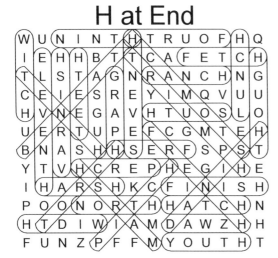

Neatly Organized

Getting Married

Making Movies

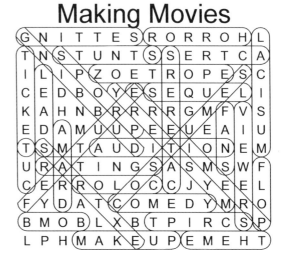

Football

Medicines

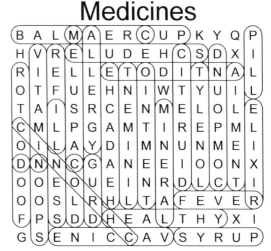

Landscaping

Getting Mad

Awesome Things

Financial

Barbecues

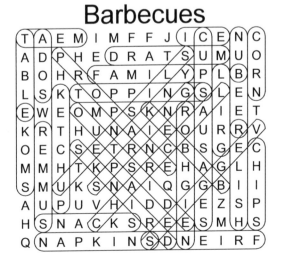

Sri Lanka

Playing Games

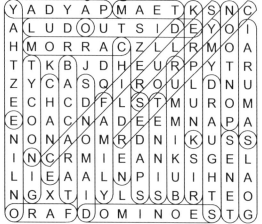

Y at End

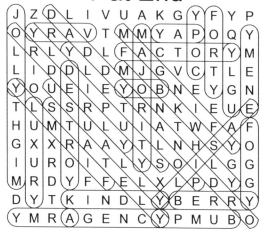

Brains

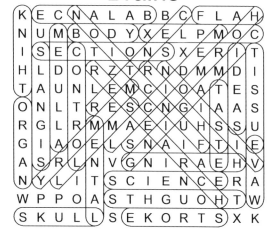

In the Woods

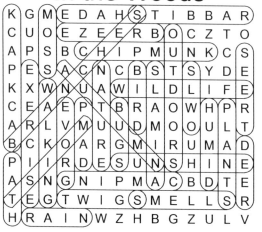

Puppies

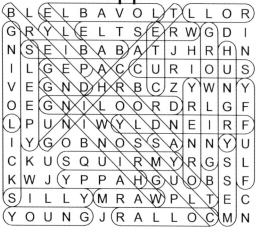

Computer Problems

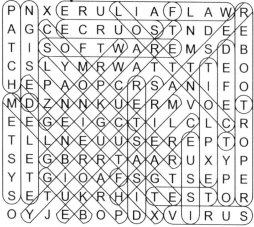

Best Times

Disney Stories

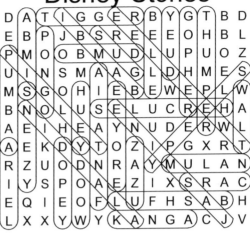

On the Water

The Beverly Hillbillies

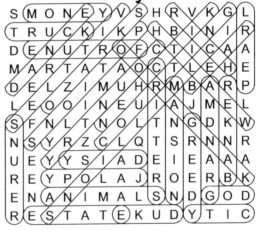

Starts with T

Fire Fight

Interviewing

Long Runs

Wild Animals

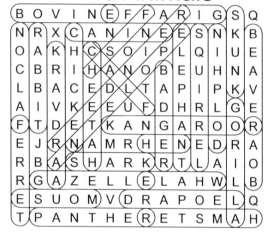

Little Things

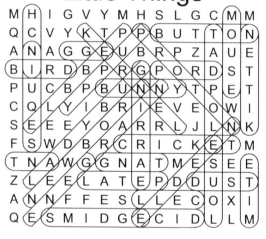

All Nouns

Giving Birth

Dinnertime

Inspirational

Television Shows

Three-Letter Words

Holiday Trip

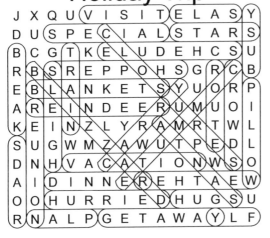

Jobs

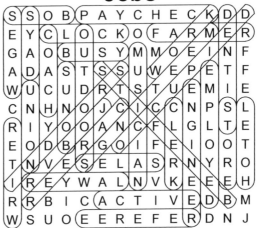

Campfires

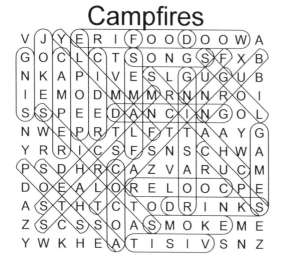

Diets

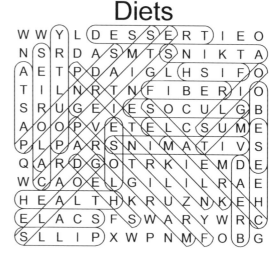

Medical Help

Horse Race

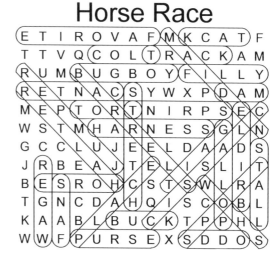

Spelling Contest

Physical Fun

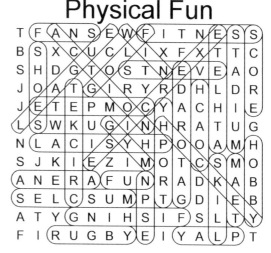

Air Travel

```
L B F S Z H P T E K C I T C
I A U J S L X V O Y A G E L
N I N S A F E T Y P M U J A
E S G N I D R A O B R Z Y I
S L Y G E N I Z A G A M E M
L E L A E M E X C I T I N G
A D C Q P A S S P O R T R Y
Y E L U D E H C S X G S U G
O L A I R P O R T A B O O K
V A C A T I O N T R W C J Q
E Y Q R E S T E W A R D Y O
R W O D N I W Y T R E V I D
```

Romantic

```
C D J U T Y N O T E R A D C
W R Y O M E O P M Y D N A C
L A U A L W E D D I N G N W
X C E D W D C S N S L M C E
H R D E S O S N I T A C E L
D U N J U Q E E R Z L T G G
C I G P N R P E R A P U A G
W S L I R E W I R E R R D U
E E H I S A W C H N K U N
P V V S G W Q J N O A B S
A R O S E S L L A O I M D C
K M N L R D U A B E A C H E
```

Growing Food

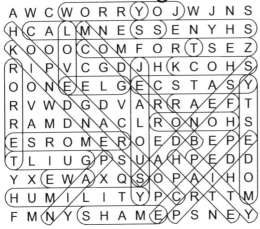

```
M P N G H X N A R G H D N D
F A R M M M T S Q U W O R K
P R O D U C E N I B M O C R
P K C T I G T O A I Y F E C
A O U L N Z V I I L T A A S
F A R A Y I E L D O P J B Q
E A R C K G O L M R I C E U
G O L A Z C C A B B A G E A
R H L L C E T C A R R O T S
A E N O R O S S L I A T S H
I R R F E A S T P T U N D T
N B A S I L L E S E Q U R D
```

Recreational Vehicles

```
B E G A Y O V L E V A R T S
H H X V Y F T B O N C A P T
U R E C A R A V A N U F B A
Y T R A I L E R O L P X E R
U K S Q T G N I N W A M G S
R N I O Y E T T Y L I M A F
O E W T L A R E M M U S G C
O D L I C S W O D N I W G Z
D A B A N H W H E E L S U R
B O V Z X E D B G P E E L S
M R W E E K E N D I R B Y H
B A T H R O O M A P H Z Z S
```

Feelings

```
A W C W O R R Y O J W J N S
H C A L M N E S S E N Y H S
K O O O C O M F O R T S E Z
R I P V C G D J H K C O H S
O O N E E L G E C S T A S Y
R V W D G D V A R R A E F T
R A M D N A C L R O N O H S
E S R O M E R O E D B E P E
T L I U G P S U A H P E D D
Y X E W A X Q S O P A I H O
H U M I L I T Y P C R T T M
F M N Y S H A M E P S N E Y
```

Face the Music

```
I N M Y H M D E L E L U K U
N A B M A S A N D A N T E S
A D L Y R E S M E L O D Y M
P U S P M R E N K C U R B H
M E S X O B P E V A T C O A
I T U M N A I C I S U M A R
T R A F Y Z P N E T T I R B
J O R E K S G N I R T S D T
A N T L B P A G A N I N I U
Z D S C H U B E R T E Z I B
Z O V I V A L D I D R E V A
N R E N G A W H I S T L E O
```

Spooky House

Artistic

Chinese

Lightweight

Olympics

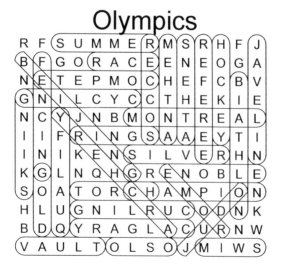

Types of People

Ski Vacation

Check the Weather

Home Projects

Falling In Love

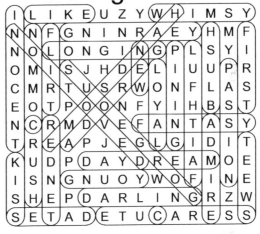

At the Theater

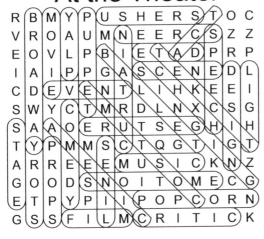

Jungle Boat

Elevators

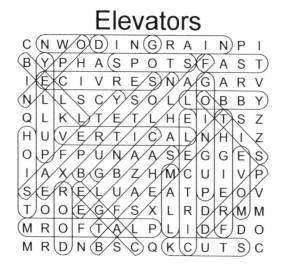

Party Time

Across America

Lawns

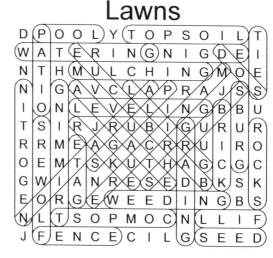

At Work

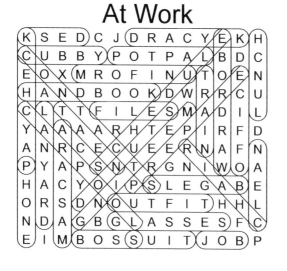

Volunteer Hours

Answers

Under Pressure

Baseball

Business Startups

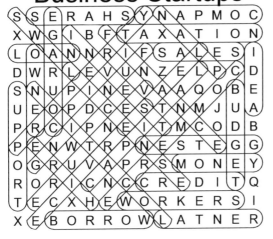

The Young

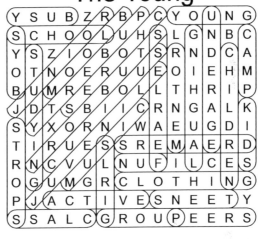

Drive Around

Organic Farm

Fun with Children

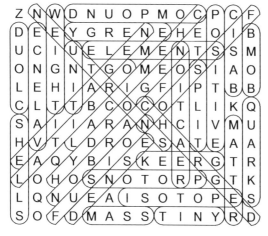

Seaports

Atomic

Your Destination

Pioneers

At Church

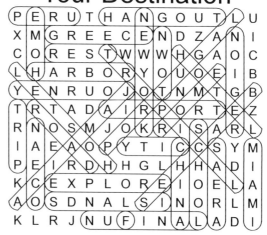
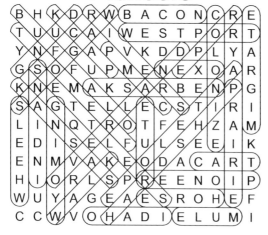
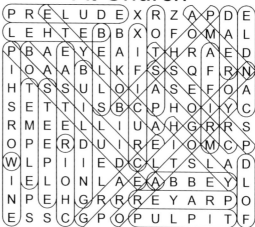

Gadgetry

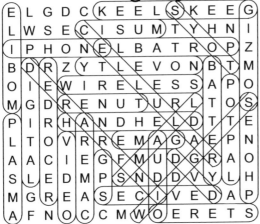

Parts of You

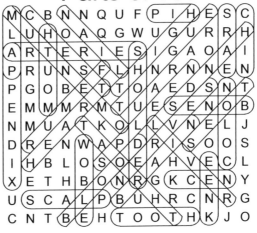

Vegetarians

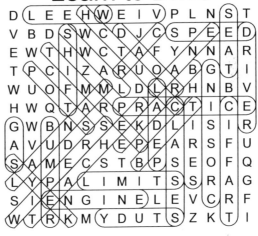

Learn to Drive

C Words

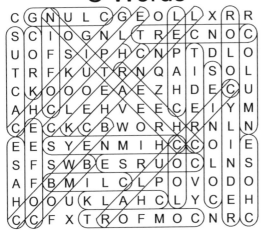

Little Kids

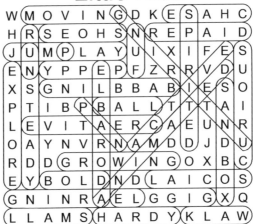

Food Prep

Exotic Travels

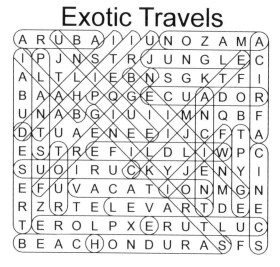

Having Sons

Amazing Helen Keller

Fish

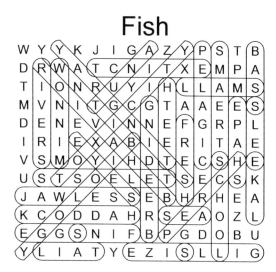

Answers

Thanks!

I hope you enjoyed this book.

Visit us at funster.com to discover more books that will gently exercise your brain while you have fun. It's a relaxing way to spend some quality time!

Sincerely,

Charles Timmerman

Charles Timmerman
Email me: games@funster.com

PS- Here are the quick links for this book:
funster.com/bonus6 bonus puzzles
funster.com/review6 Amazon reviews

70470338R10071

Made in the USA
Middletown, DE
13 April 2018